STAR
SUDOKU
LEVEL 6
300 EXTREME PUZZLES

Dalmatian 🐾 Press

3101 Clairmont Rd. Suite C, Atlanta GA 30329

This edition published in 2006 by Dalmatian Press
3101 Clairmont Road, Suite C
Atlanta, GA30329

978-1-40372-914-9

10 9 8 7 6 5 4 3 2

Printed in the USA

How to Solve Sudoku

A Sudoku grid is made up of nine boxes, each made up of nine smaller squares or cells. Lines across are called rows, while lines down are columns. Some of the cells already have numbers in them — you have to fill in the rest.

As you no doubt know by now, to solve a Sudoku grid, you have to place a number from 1 to 9 in each empty cell, so that each row, column and box contains all the numbers from 1 to 9.

You don't have to be a math wiz to solve a Sudoku puzzle — all that's needed is simple logical thinking — but the puzzles in this book are a lot more difficult than average, and you may find the following advanced solving techniques very useful in helping you complete the 300 puzzles in this book.

Proceed logically

In this grid, right, column eight is missing the numbers 1 and 8, so no other cells in that box can contain those numbers. The bottom centre box needs a 1 and, since there is already a 1 in column six, the two empty cells in that column of the box can be crossed off. The number 1 in that box must, therefore, be in one of the empty cells in its middle row and the other empty cells on that row can also be crossed off. Since column nine still needs the number 1 to be placed, it must go in the empty cell at the end of row seven.

	9		7	2			4	5
2	4		5	1	6		9	7
	7		4				2	8
	3		2		7			
9		2	7	3	4	5		6
7	6						3	2
	5		4	8		2	6	
6	2						5	
		9	2	6	5		7	3

Looking at the central right-hand box in this grid, below, we can see that, since the top row already contains an 8 earlier along, that number must go in one of the empty cells in the last column. We therefore know that the empty cells in the last column of the top right box cannot contain an 8 and can, therefore, be crossed off the list of possible numbers for that box.

Scanning along the top row, the first two empty cells can be crossed off, since we know that the number 8 on that row

6	5	1			9			
4	3		6	5	1	2	9	
					3	6	1	5
	8	6			7	9		1
			9	3		5	6	
	4	9	1	6		7	2	
	7	5		9	6			2
2	6	3		1			7	9
		4	3	7	2		5	6

needs to be in the top right box. In the second row, the 8 must be in the empty cell in column three, as we'd eliminated the last cell in that row, earlier.

Row three now needs an 8, which must go in column five, as it cannot go anywhere else in that column (the top one has already been crossed off, the empty cell in row four of that column already has an 8 earlier along the row).

Advanced solving

Using a pencil, write a small number 1 in the corner of each cell that it *could* appear in. Scan along each row and column in turn, making sure you pay attention to the positions of any 1s that are already placed and therefore cancel out any other options in each row, cell and box. If there are any obvious positions for 1s after doing this, fill them in and rub out the numbers from any places that can be eliminated in a box or along a row or column. If you can't spot any definite places, don't worry — by working your way through all the numbers 1 to 9, things will gradually become clear.

Move on to the other numbers in turn, writing them lightly wherever they can appear. After the options for a particular number have been written in, check along the rows, columns and boxes to see if these options have brought to light any definite positions. Again, if they have, write them in and rub out the numbers you can then eliminate. Carry on writing in options for each number, checking for definite positions as a result, and rubbing out numbers in places that can be eliminated at each stage, to avoid getting confused with lots of numbers everywhere.

Fill in all the options for the numbers 1 to 9 in the grid, as before. When that's done, check to see if there are any cells that contain only one number. If there are, these can be placed and all options for that number along that row, column or box can be rubbed out. Next, check cells with a number of options to see if any number appears once only along a row, column or box. Again, if there are, these can be placed and all options for that number along the row or column or in the box can be rubbed out.

You can also look for pairs of numbers, known as twins. This is when you have the same two numbers appearing together in the same box or along the same row or column. They are useful because it means that those two numbers can only be placed in those two boxes, and other occurrences in that box or along that row or column can be rubbed out. Remember to check for any definite placings that have arisen as a result of any options being rubbed out.

Similar to the twins technique is one involving triplets. This is when the same three numbers, or a selection of those numbers, occur three times in a row, column or box. Wherever triplets appear as options, it will mean that those numbers will only appear in those three boxes, helping to eliminate options elsewhere.

1

					8		9	
				1356	8	*147*		9
				156	4		3	
			7	9		2	8	
		1		2			*479*	
349	*49*	5	8	*13*	7	*149*	2	6
6	2			4			*179*	
		2		*157*		3	6	
	3	6		*17*		8	5	
7				8			*149*	

2

	5						4	
						6	9	5
			1		8	2		
			7	3		4		
		6		2		7		
		9		6	4			
		8	4		6			
6	7	3						
	1					2		

3

4								
				3	6	9	2	
			4					3
		9		8	3	6		
		1		6		3		
		7	2	1		5		
7					8			
	1	3	9	5				
								7

4

2						1		
1			7	4	3			
	7							8
4					8		9	
	9	5		6		7		
3					7		2	
	4							2
9			5	2	4			
7						6		

5

		9	1					6
8								
5	3							7
2		4		6			8	
			9	2	8			
	8			3		2		5
9							6	4
								9
7					6	5		

6

					6	7	4	
1					9	2		
		9	4			3		
8							9	
		2		5		1		
	5							3
		3			4	8		
		4	1					7
	9	8	6					

7

6		1		8				
			4		6			
7		8						5
	2				3		4	1
				9				
9	7		6				5	
1						7		2
			1		2			
				3		6		9

8

4							9	
				7		6	5	3
2	6						1	
	2			5				
			6	2	7		8	
7	9		1	3				
		2						
	5		8		6	9		
9			7			5		8

9

7				1				5
			9	7	8			
3				4				9
	2		5		4		9	
		5	6	9	7	1		
	9	3				7	8	
		1				4		
4								1

10

	1				7			
	9				6	7	3	2
3						1		
2		5					7	
				8				
	7					6		3
		3						1
1	4	2	3				5	
			4				6	

11

			6			3		
		4		2				
		7	4		1		6	2
		8					4	
9				5				7
	5					8		
1	8		3		4	6		
				1		2		
		3			8			

12

	6		5				3	
4				6	2		7	
						9		
5	3	4						
		6		5	1			8
1	7	8						
						2		
3				9	4		1	
	4		8				6	

13

					8	7		5
1	8							
		3			7		8	
		8	3				6	
		9		8		5		
	6				4	8		
	5		2			3		
							1	2
8		6	9					

14

		5						6
			5			3	8	
8							9	
7	4		3	2				
	1	9			6			
					8		7	
9		7		3				2
	6			7	5			
		1			4	8		

15

		1			2			
8		5			4			
	3			7				
5		8					6	
7			8	2	9			5
	9					4		2
				3			4	
			4			3		9
			6			7		

16

9				7				4
3	2	8		6		9	7	5
		3				5		
5	4			9			8	2
		9		5		3		
			7		8			
		6	5	1	3	2		

17

7			2			5		
				1	8	4		
				6			3	
		6			9	1		7
				4				
2		8	7			6		
	6			8				
		4	6	3				
		3			2			4

18

				5	7		3	
3		6						
			9	4				8
2	3					5		
		7		9		8		
		8					6	1
8				1	4			
						4		7
	2		7	3				

19

4			6		1			
		3	2			1		5
7					9			
3						7	8	
				5				
	2	7						9
			8					1
2		6			7	3		
			3		6			4

20

			3		5			
				2				
		7	1		9	2		
	3		8	6	7		4	
9			5		3			8
		5				7		
6	2			5			3	1
				3				
1								7

21

	9				2		3	
		1				8		5
8	7				1		9	
		8	5			9		4
	3							
			9		4			
4					7		2	
				8		1		9
3		9				5		

22

							3	7
5	6		9		4			8
2								
	9			2			5	
1	5	7			8			
			7				9	
		6		5				
				4	9		1	
				1		6	8	

23

	6				9			7
2	3			7			1	
		1		3		4		
7								
			9	6	2			
								8
		5		9		2		
	2			8			4	5
8			1				6	

24

		2	3		1	7		
			5	7	9			
				2				
	5						4	
4								6
		3	1		8	9		
	3	7				2	9	
2		6		9		1		4

25

	1		5					
7						1		
			4	2	9			
4			9			2		
9			8	1	6			7
		7			3			1
		3	2	5				
		8						3
				9			2	

26

5								3
9				7				8
			6		9			
			2		6			
		2		9		1		
	3		5		7		8	
		3		4		9		
	1						2	
		9	1	6	2	3		

27

	3			9				
6			3		8		7	2
4						9		
					9			
5		9		4		3		8
			7					
		7						3
8	2		6		1			5
				7			6	

28

	4				6		3	2
		1	8		5			4
6								
		2			3		7	6
9		6		5				
						8		
			8	7		2		
	1							5
8				4		6		

29

			7		8		9	
	9				4			1
		7						2
				6	7		2	
		4		8		1		
	2		5	9				
1						6		
8			2				7	
	6		9		5			

30

		1	5		8			4
6		7			1	8	5	
					4	7	9	
					5	1	7	6
5								
			8					5
2		4					1	9
	3							
		6		8			2	

31

1				5				4
		2			1			
	7	5	8	3			6	
		3						6
6		8				5	3	
	5					1	2	
			1	6		8		
		6		2	5			
3			9					

32

		3		2		7		
	7	5				9	3	
9								1
	2			9			8	
1								4
	3		8		4		9	
		6				3		
		1	5	7	3	8		

33

9				6				
7		5			3		1	
		1	8		7			
		4			2		3	
				3				
	9		5			7		
			4		1	8		
	2		6			1		9
				8				6

34

						8		6
			8				1	9
		9		4			2	
			1				8	
8			6	5	2			1
	5				4			
	7			3		2		
4	2				7			
6		5						

35

			4				6	
3	2	9						1
				7		2	3	
						9		
9	8			6			2	7
		7						
	6	4		3				
5						1	8	2
	1				8			

36

					5	2	8	6
								3
5		3	6					9
					9			7
	4	1						
		2	7			4		
			8	9		7		
6				4				
8	3					6		

				5				
	5	6	4		7	2	1	
9		7				5		3
				2				
4		9				3		8
	3	1				7	5	
	8		5		3		6	
6			9		8			5

7				9				6
					8		7	
4							3	
			8				5	7
5			1	4	6			8
2	1				3			
	6							3
	2		6					
1				7				4

39

1		6			3			9
				5		7		
4			9				6	
		2					8	
3				1				2
	1					3		
	6				8			5
		5		9				
7			4			2		3

40

6								3
4	3						8	7
				1				
1								5
		9		5		3		
	5		2		4		9	
5	6			9			3	1
	4	7				2	6	

41

1				9	2			
				5		4		
		3	4				7	
		6		8				9
8	5		3	1				4
4						5		
	7				5			
		4					2	8
			6	4			5	

42

		2		8	3			
				2			4	
			5			6		
5					2			6
				9			3	5
	1		3			8		
	5							1
2	9	7	8					
	8				7			

43

	5	2			9			1
3						2	7	
			1					
				2		4		
			5	1	8			7
				6		8		
			6					
7						3	4	
	8	6			5			9

44

	4			5				
								9
5			1			7		
	3	8		7	4		5	
	1			2			6	
	2		6	1		4	9	
		9			8			5
1								
				3			8	

45

2	4			1			8	7
	5		2				9	
						4		
8					9	5		
				2				
		4	3					8
		1						
	3				4		5	
4	7			5			1	2

46

	8		9				6	
		2	4	1				9
	6			7		1		
			5	6				
					4	7	2	
					8		3	4
1							8	
	2					4		6
8		4						

47

	2			8		4	7	
9	8							
		3	6		4			1
		8			9	1	3	
3				2				
		9	1			5	2	
8			4		1			
1			8		6		9	
		7						

48

		4				1		
	5		2	7	4		8	
				5				
		5	3	8	2	9		
7								2
	2						1	
		1	8		9	5		
3								6
		8				2		

49

8	3				1			
	9			5				
		4	7		6			
6								3
	5	1		9		7	8	
7								4
			2		7	4		
				1			2	
			4				5	6

50

	3	5					6	2
1								
			9					7
	5			3			1	
	2		5				8	9
	9			4			2	
			6					4
3								
	1	2					9	3

51

							2	
	4			1				8
5		9	8	7				
	3		1	4				
		7		8	3	9	4	
					6	8		
				6		2		
	7				5		6	
4						1		

52

				6	4			
	2		1				3	
	3	7				1	4	
7		9					1	
				8				
	1					2		3
	6	1				3	7	
	8				7		2	
			9	1				

53

					3			
3	2		9				7	
6						9		8
	1	2			6			
	4			5			8	
			8			2	4	
5		4						2
	3				1		5	9
			3					

54

				9				2
	7			1	2			
8						9		
				8			6	
	1				5		8	3
3		5	7					
	2	1	5					
5		8		3			1	
7	3		4			8		

55

	3					2	9	
							1	8
7				5				4
4	5		2			8		
2		1	7	9				
			9					
3	4			2				9
	2		8	7		5		

56

		8			9			5
7			8	1		6		
						4		
8					1			9
	6			3			8	
5			9					2
		4						
		6		5	2			1
9			6			8		

57

	9			6	1			
7								
	8						4	1
5					3		2	
		3	8	7	2	1		
	1		6					7
9	6						8	
								2
			7	5			6	

58

2				6				7
6			5	1	8			3
		1				5		
	9						8	
		8				2		
			8	7	6			
7	1			2			4	5
				4				
		3				6		

59

8				9				7
	4		8	1	6		9	
		5				8		
			1		3			
9								4
	2			4			8	
	6			7			1	
		4				9		
		9	3		1	5		

60

	6		8		4	2		
				1				6
		5		2		8		
1							8	
2				8	6			
9							7	
		2		5		3		
				4				9
	9		7		8	4		

61

	1	5	6					2
					9			
		9	1	8			6	
					4		5	
7				5				6
	8		3					
	5			1	3	7		
			4					
2					6	9	4	

62

7		5		9		4		3
	3					8		
					5	7		
6			1	2				
								4
1			7	3				
					8	1		
	2					9		
3		1		4		2		6

63

				5	1			7
		8	2					
	5			7	6	8		
		5	9	2		6		1
	1	6			7	9		2
	2	9			8		5	
			3	8	2		7	
	6		1	9		4		

64

		5			3			7
	6			4				
					8	3	9	
7		1	3					6
				2				
9					1	4		8
	5	2	4					
				3			5	
4			7			9		

65

7					4	5		
			3					
4	8				7		3	
		6				1	5	
	7			4			2	
	1	8				6		
	6		4				1	3
					1			
		3	9					4

66

		6	2			8		
	4							1
	2		4		5	3		
			9				1	6
				8				
5	9				2			
		3	5		6		8	
2							4	
		5			8	7		

67

		8		3				6
		2			8			
1					5			
9		4					3	
	5		9	8	6		1	
	7					5		9
			3					2
			6			4		
4				1		9		

68

						8	9	6
	8							2
			5		6		7	
			1			4		7
			4	9	8			
3		4			2			
	1		2		5			
8							1	
5	6	9						

69

2				1				7
7								8
		4				5		
	8			2			5	
	2			7			1	
			6		8			
4								9
5	9	1				6	7	4
			4		1			

70

3			9			7		
	1		6					4
		9		2	3			
						2	6	8
				1				
9	5	8						
			1	3		6		
8					7		4	
		5			9			7

71

5			9		2			1
				8				
			3	4	6			
	4						5	
	9	5				8	2	
1								6
			2		5			
3	1			9			8	5
	5	6		1		9	3	

72

5	9			7		1		
		4						
6	3				2			
		5	1					6
1				6				4
2					3	7		
			9				1	2
						4		
		6		4			9	3

7	8							6
4	3						5	
		9		2	3			
			1	4	9			
	4			2	5			
1			5					
		3				7		
				5			4	8
9			8				2	5

7				2		9		
		9		3	5	1		2
							4	
	1	2	5					
				1				
					9	8	1	
	9							
4		5	9	6		2		
		7		4				3

75

		6		9	7		4	
3		4						
			2					5
		1				3	2	6
				5				
9	4	8				5		
4					8			
						9		2
	2		1	7		4		

76

				3				
	7		2				1	
8	3			4	9			
7								9
	8	9		6		7	5	
5								1
			4	9			7	2
	2				5		6	
				8				

77

				8	3		1	
						3		7
	2	9			5			
	5					8		1
		6	4				3	
	7					2		4
	1	4			6			
						1		9
			3	7			4	

78

4		9						8
	7			8				
	6			1		3		
1		7						
						5	3	
9	4		3					
3					8			7
			9			2	6	
		1	7		5			3

79

		6	3					2
					4		6	
4	2					1		
					7	3		5
	1			2			7	
7		9	5					
		4					3	7
	5		8					
3					9	4		

80

7								4
5				1			6	
	6				7	2		
	7		3		5	8		
		6					9	
8			7		6			
6	5			3				
		1			4	5		
		7	5				4	3

81

5								7
	8	1				4	3	
2								9
	2		9		1		4	
		6	4		8	2		
				3				
		7				3		
			2	5	9			
4			7		3			8

82

	1		7				3	
	7		5	1				4
		3	9			7		
		1			5			
				2			4	
5						1	2	8
					7	4		
	6						7	2
8			1					

83

					3			6
	3			4		9		
	1				8	4		
4						7		
	8		6	7	1		2	
		7						8
		4	8				9	
		3		6			1	
5			9					

84

	8	7	9					
	2					8	5	
5					3			
	5	3			7	9		
				1				
		9	5			3	8	
			4					2
	7	6					9	
					6	1	4	

85

		4					2	5
2	5	9			4		7	
					6			
		6						
5			3	2	7			4
						2		
			6					
	7		5			3	4	2
9	1					8		

86

5	6			4		1		
	3	7	2					
			1			3		
	4				9			8
				5				
6			8				5	
		2			1			
					7	2	6	
		6		8			9	4

87

			2					6
				4			8	
				6	9			7
	2					7	1	
6		3		2		5		9
	1	4					2	
9			5	1				
	8			9				
3					7			

88

			6					8
	2	4			8			
	9		4	7				
			9				5	
			3	6		8		
		5				1		3
6			9				7	
	1					6	4	
		7						

89

	6					7		
3	4	2		6				
	9		3					
					4	8	6	
6				2				9
	7	1	8					
					9		3	
				5		1	7	8
		7					5	

90

4			7		6			9
		1				4		
	9		5		4		3	
7		9				3		1
		6	3		1	5		
		4	9		8	7		
		5	6	2	7	9		
	6						8	

91

5	1					3	9	
	6				1			5
		9	7					
	2			4		6		
				5				
		8		7			1	
					8	9		
4			9				6	
	8	6					5	7

92

		6				2		
		2		9		5		
4	7			5			9	3
	3						1	
			2		8			
7			1		4			5
		7				9		
6				1				2
			6		5			

					2		3	
	1			5	7		4	
		4				6		
5				2				
4	8			9			1	5
				4				8
		8				3		
	7		1	6			9	
	6		2					

				4			2	7
7					8	1		5
	3	8						
	5		9					
2				6				1
					1		9	
						7	4	
8		5	3					2
6	1			8				

95

5	7						3	4
		9	6		3	1		
9		7				4		1
		5		8		2		
3	6			1			5	9
			5	4	6			
		2	8		9	5		

96

	3						4	1
1			4				2	
			5					
	8			9			5	7
6				1				3
3	2			7			8	
					2			
	1				6			5
9	6						3	

				9		1	8	4
					8			2
		3				9		5
6					4		7	
	2		6					3
	3	8		7				
1			7			8		
			2	5				
		5			1			

				4	3	1		9
	8		1	5				
6				9		7		5
			4					1
		6				8	9	4
		9			1		6	
			8	1				
7							1	
4	9					6		

99

	9	8	4					
	2	5			9			
6						7		
5				6	3			
	4			7			9	
			2	1				7
		1						5
			8			2	6	
					2	9	7	

100

6						3		
		7	2					6
2					7			
	5			3			1	2
7		9		5				
	1			2			6	5
8					5			
		2	4					9
1						8		

101

				2				4
3								
	2	4	1					
	7	6						
1			6	4				5
				5		1		
7	8				2	3		
	3	1			8	9		
		9		1			4	

102

							4	
			7					3
2	4			1		9		
9				6		3		
	8		1	4	9		2	
		7		2				4
		8		5			3	1
5					6			
	9							

103

					2		9	3
		1			5			
	6		3			1		
4			9				3	
		7		5		9		
	2				6			4
		4			3		1	
			7			6		
6	8		5					

104

	4			2		6		5
8				4				
			9		7			4
			6		4	5		
				8			4	7
4		5	1		9	3		
		6	7					
7	3							2
	1		4				9	

105

4				7				8
	3	8				1	9	
5			3		9			7
1		7				4		2
			6		7			
8								9
	2			4			7	
				1				
			9		8			

106

3				5		9		
		6	4					
		7					4	3
	4				9			
	9		7				1	8
	3				4			
		8					2	5
		3	6					
4				8		6		

107

5		6		1	7			
		4	8	3				
					4	2		
						6		9
	6		7				3	5
		8	4	9			7	
		1	3				8	6
6				4				
	7							3

108

7	8	4					1	
			4	8		6		
					9			
	3		9					5
			1	4	6			
2					3		6	
			7					
		5		9	8			
	9					7	8	2

109

9					3			
				2		5		6
		4		8		7		
			8					7
	2	7						
6					5		2	
	1	6						
					6		5	4
	4		7				3	8

110

								6
	4	6		5				
	5					8	2	9
6	1			7				
			5	4	6			
				2			8	7
4	2	1					6	
				1		5	9	
8								

111

9					4		3	2
5				7		6		
			8		1			
		5					9	
			4	3	2			
	4					2		
			9		7			
		1		6				9
3	7		2					1

112

112								
		2				1		
	3						5	
				7				
3								4
		9		5		2		
			2		8			
	6	3		4		7	9	
7	1			9			2	3
2			1		7			6

3						6	2	
				5	1	8		
2			7					1
6		2						
		3		4		7		
						5		8
1					4			6
		8	3	7				
	3	7						9

						6		
	3				5			8
7				2	3		9	
5					7		4	
		7		9		5		
	1		5					2
	2		1	7				6
9			4				8	
		1						

115

			8					
	2			1		4	7	
4		5				8	1	
7		1	2		6			
	5						3	
		3			7			1
			5		4	1		
	3			9			4	
9					8	6		

116

7	6							
9			8	1				
			5	6	2			
	8		3				9	6
	7	9						
		4				7	5	
		5			3			
			2		9		3	4
			1				2	

117

	6					9	5	
	1	4			7			6
				3				
2			7			1		
1			3	9				
7			4			3		
				2				
	9	8			6			7
	2					4	8	

118

3	6					5		
2	8				7	9		
		1	4					
			7					2
		8		9		3		
7					8			
					4	2		
		5	2				8	3
		3					4	5

119

			8					
8		7				3		1
3		6				4		9
		4				8		
5				4				7
			5		2			
				9				
	9		6		8		2	
	7		1		3		6	

120

					5	7		
	4			6				
8					7		5	1
		2				6	9	
5				9				3
	8	4				1		
4	5		3					6
				8			4	
		9	6					

121

	2				5	9		
	1			2			3	
8			7	9		4		
	7							
2				4				3
							9	
		5		6	2			4
	6			7			8	
		1	8				6	

122

			7		2			
6						7	2	
		8	3	1				
		7		5		1		
9			8		6			
		5		4		3		
		2	1	8				
5						8	9	
			6		5			

123

	6							5
	2		5				1	6
3			2	6				
	1	4						
		6		1		9		
						7	2	
			4	2				7
7	5				9		6	
1							3	

124

2	9							8
		6	1	4		5		
		1			2		4	
	4			6		1		
			4		7		3	
				5			7	
7						4	6	
	1				8			9
		2						3

125

	2					3		8
	5	9				2		
					1		4	5
				3		9		
	4			7	6			
3		5	4					
4		6	9				7	
	9			4			8	2
		3	1					

126

		9		2	3			5
	2							
		4	1			6		
3	4							
2		7		4		3		9
							7	6
		3			6	9		
							5	
1			9	5		2		

127

8				1		7		
9		3				1		
							8	2
	9		4	8				
		4			7		9	
	1		3	2				
							4	6
1		5				8		
3				6		2		

128

	1	7			2	5		
						8		
	9		3	5				
9	2						7	
				1		2	9	
4	6						3	
	4		8	6				
						6		
	7	9			4	3		

129

		6	2	8			5	
		9				2	4	7
	7					6		
6								
	4		7	3				6
	1		8	9				3
						1	9	
			4	1		7		
				2				

130

	5			8	7			
9		7						1
			1	6				
		1				2		4
			3			5		
		2				9		7
			6	4				
2		9						6
	8			7	3			

131

	1		6	2	9			
2						1		
					7		5	9
9	3	6						
				8				
						6	2	1
5	8		7					
		9						5
			4	3	5		7	

132

9	3						1	6
				7	5			
		8	6	5		9		
1		9		2			4	
		4	3	1		5		
				4	6			
4	2						5	7

133

		5		6		2		
				8				
			1	7	2			
2	7						8	5
			2		9			
	1						9	
4		3				6		8
	8		4	2	5		7	

134

	1			5		9		
2					1	3	4	
	3						1	8
		4			8		7	
		7	5	2				9
	9	1	7	6				
			4	7	2			
			9			4		6
							9	

135

				4				9
					8	1	4	
			1	7				3
			3			2	5	
6		3	8					4
	4	2			9			
	9		3			6		
	1		9					
2		7	5					

136

	5	6				4	2	
				1				
		1		6		5		
		4		3		8		
7								2
	2		8		1		5	
4								5
		8	6		3	7		
	7						1	

137

	5			1	9			2
		3			7			
1	4		3					
							5	1
	1		2	4				8
				5		2		
	6						1	
5		7		2		4		3
	9					6		

138

					9	1		
4	2		3					
		6			1		4	
		9			6		5	
		5		1		2		
	1		9			8		
	5		4			6		
					5		9	3
		7	8					

139

	1					4		9
					7			
			9				8	2
				4		1	7	
2			1	6	8			3
	6	9		3				
3	4			8				
			3					
9		8					1	

140

	1	7			6			
				2		8	1	
	6							3
		6			1			
		9	6			3		8
		4			3			
	2							4
				7		1	9	
	5	1			8			

141

6				9		3	5	
	9				6			
		4	7					
		3				9		8
9				1			6	5
	8							
7			8			5		
1				6			8	
			5	4				7

142

		8						
	2		6					3
6						5	9	
3			8	4				
5		4		6		2		8
				7	9			4
	4	6						2
8					1		6	
					1			

143

				5				
2								1
		1	7	9	2	3		
		7				8		
		5	3		8	1		
	4		2		1		3	
3			4	8	7			6
9								4

144

3				2	1			5
		7	3		6	2		
6								
	7	2			4			
			8					
			1			3	2	
								8
		4	5		8	1		
5			4	6				3

145

		1					4	5
					2	9		3
				3		1	8	
			4		7		6	
	6		5			7		
2				6	1			
4	3							1
		6		5				
		5	8					

146

		6						
		2					9	5
3				8	2	4		7
8	7		4					
				9				
					6		1	3
2		8	6	5				4
4	1					9		
						2		

147

		5					1	
1				7	9	6		
	9				3	8		
2				1				
						3	8	
8				6				
	1				6	4		
4				3	7	2		
		9					3	

148

3			8	1				
						5		4
		9					3	
6			7				8	
8				9				
					8	1	4	9
	1				3	6	2	
		8	1		4	3		
	7				2			

149

	7						4	
	6	4				1	9	
		1				6		
	8		4		7		3	
		5				9		
2				9				8
3			6	4	5			7
				1				
			3		2			

150

		8		4		5		
	4						2	
1			8		2			3
			6		1			
	2		3	9	5		7	
	8						9	
		9		5		7		
		2				6		
	1					4		

151

	6							
	2		6		9		8	1
			4			7		
6					5		9	
		4		8		5		
	9		3					8
		8			6			
5	3		8		7		2	
							1	

152

								8
			6					9
				7	8	6		3
	7	6	2			3		
	4			3			6	
		8			6	2	4	
3		7	1	5				
5					9			
6								

153

2	1						7	4
			9	6	4			
6			7		3			5
1			6		8			3
	2						6	
	7						3	
	3	8				9	2	
				5				

154

			5					6
6		4				9	1	
					2		8	
			9	3	2			
			8	4				
8								7
3	4	8					6	
	5	6						
		2	6				9	

155

								8
	4	9	2			7		
5	6				1			
	2			9				
	1	7		8		3	4	
				4			2	
			4				9	5
		6			9	4	7	
3								

156

1		7		3				
			9				3	5
						6	7	
	3				4			
	1			5			9	8
	6				2			
						7	1	
			8				2	3
5		2		4				

157

1			9				5	
					7	2		
6		3						1
				6			4	
9	4	1		8			2	
				2			9	
7		4						3
					4	5		
3			2				8	

158

5		8			5	3		4
	5		1			6		
				2				
	1							8
2			9	7	8			1
7						3		
			7					
		7			1		4	
4		5	2			1		

159

	9		6				1	
8			3				5	
		6				8	2	
6	3		5				7	
					3			
				1	2			3
		8						1
5	4	3	9					
					7	5		

160

7	6					8		2
			9				3	
		5		4				
	2		8			6		
	8				6			3
	3		5			4		
		3		5				
			1				6	
6	5					2		4

161

6	5			9			3	8
	7	8		5		1	4	
			5		6			
3	1						7	4
	6						9	
2				7				6
			2		1			
		6				4		

162

			7		8			
2								7
	4	7	5	3				9
9	1						5	8
				1				
3	2						1	6
	3	8	4	9				2
4								5
			6		7			

163

7								4
3				8				5
	2			3			6	
		8	1		2	9		
4			3		6			1
		3	5		9	8		
		1		7		3		
	9						1	

164

8	4				6	2		
					4		3	
		5					6	
		3	6	4				8
				7				
7				8	2	4		
	1					7		
	5		3					
		7	4				8	9

165

		3						9
	5					3	8	
		4	7		9	6		
	9		1					
				5		4		7
	7		6					
		2	3		8	9		
	1					8	7	
		8						5

166

	6				7			2
		8			2			4
2				9			6	
	3				8			
5				4				1
			1				3	
	2			6				3
4			8			5		
8			3				2	

167

			4		2			
	2						8	
	9			7			2	
		6				4		
	5		7		9		6	
1				6				2
				8				
6				1				5
5		4				3		7

168

	5		7			4		6
		6						3
4			6				1	
	2					3		
			3	1	4			
		3					6	
	4				5			8
3						1		
7		1			2		9	

169

9			5	2	1			3
		2	4		7	8		
		8		6		2		
	4	3				6	9	
5								1
			8		6			
3				7				9
	5						4	

170

4		8	5		7	3		2
6								5
				3				
				2				
			7		4			
		6	1		8	7		
5	2		4		6		8	1
		7				6		
				5				

171

		2					8	4
				8		7		
			3		9			5
	7				4	3	5	
				7				
	6	8	1				4	
5			4		8			
		1		5				
9	8					5		

172

2				1	6			
							9	2
		5			3	8		
							7	
6						1		8
1		3			9		4	
		6		4				5
	4		3		8		2	
	2			7		3		

173

		3	7				5	
8				4	1	9		
					9		3	
4			8					
		1		2		7		
					6			4
	1		6					
		5	9	7				6
	7				3	2		

174

		1		9	5			
	2		8			5	3	
		6			2			
7								3
		8		3		9		
5								6
			6			1		
	6	4			7		8	
			4	5		7		

175

	1	7		8				
			9			2		
	5			2			3	
1	4		2					7
				4				
6					7		1	3
	9			1			8	
		6			4			
				5		6	4	

176

		1	7		3	8		
	6							
5				8			4	
3				5				4
		8	4				3	
9					1			6
2								
		5		3			7	
			1		9			3

177

7	9	5	2					4
6					5	7		
4							1	
				8	1		5	
					9			
5			3					8
		4						7
								1
3			7			6	2	5

178

			4	8			6	
	1	3				2		
			1			9	5	
			5				2	6
				7				
8	9				1			
	8	7			2			
		4				3	7	
	5			4	6			

179

		1			3			
							2	6
6			1	7		8		
		8		3				
		7	5	2			8	
9							5	
		4				7		
	6			8	1			2
	8						4	5

180

		8	9	3			1	
					7		9	
	5							
		3	4		8	6		
		5	1					2
		6	2		5	9		
	3							
					2		4	
		9	3	8			5	

181

			7				1	6
		9				2		
	1		5				7	3
3				7				
			9	5	8			
				1				4
7	2				3		8	
		1				3		
8	4				5			

182

			7			1		
				1	9			6
8		7						
6	8		5					2
2			4				5	
1	4		2					8
4		6						
				6	2			9
			1			6		

183

				5				8
			7				6	
					6		9	
	8		9			1		
4								6
		7			3	4		
			2		4	9	8	
	4	3				2		
7				8				1

184

	2					9		
	5					7	2	
9			6		3			
2	6			7				
		9		8		3		
				9			6	2
			1		5			7
	9	6					8	
		1					4	

185

5			7			3		2
	9		5		3		6	
	7							9
		9	2				4	
4	1		9					
				7	4		9	5
9					1			
	5			4		9	2	
		3		9				6

186

1			3		9	4	8	
						2		
			6		1			
	9					5		8
	5			3			6	
7		6					9	
			8		4			
		5						
	4	1	5		2			9

187

7		3						6
				2			7	
4					7			
	7				2			1
		9	6	7	3	4		
5			9				6	
			2					9
	3			1				
8						7		4

188

			7				2	4
	7			8	3			
	8							3
4				3	1			
		3	5			1		
5				9	6			
	4							2
	3			7	8			
			4				6	8

189

	2			3				
	3		1	6				
		1			5		8	
			9					7
5	1			2			9	8
2					7			
	8		6			4		
				4	8		2	
				5			3	

190

		3						1
	9	5		1		4		
2	4				7			
				8	3	6		
	8		5			3	9	
		2	7				5	
	5		2	7			1	
				6	8	7		
9								6

191

1				6		8		
					7			
9		2				1		3
		1	6		8			
	4			7			6	
			2		1	3		
8		5				9		6
			7					
		3		8				2

192

3	1						7	8
6				9				4
			7		1			
	6		8		4		2	
8		2	5		9	6		7
1				7				9
		4	1	2	6	7		
				5				

193

8			6	7	4			
	7				3		2	
1			9					
		4					1	6
	8			6				9
						2		3
5					1			
				2			3	
		9				5		8

194

7	3			6				
	4	1						8
		9	1					
		2			9	7	5	
				1				
	5	7	8			4		
					7	1		
3						6	2	
				5			8	9

195

				5				4
	9	2	1					
		4		3		2		8
		6						3
			8	7	6			
4						6		
6		5		9		7		
					1	8	4	
3				2				

196

6			9					
					5		2	8
			7			1		4
		9		7	8			
	1			5			8	
			3	4		9		
4		2			1			
7	9		5					
					7			5

197

5			8			2		4
	6		7	4	2		9	
				9				
9	4			5		3		
	1	6	3					
	2				1	9		
2			9		4			
	7						2	
6								5

198

			7	8				
						3	1	
		5		2		6		4
8								
6		3			8		4	
				4	6			5
	7	4						2
	8			6				
		6			5	1		

199

	6				9	8		
			8				9	5
				2	1	6		
						5		
7			4	1	6			8
		3						
		2	1	4				
8	1				2			
		7	5				1	

200

	6	1	3	4				
	3					9		
	5			7				
			1		8			7
8				3				6
6			4		9			
				1			5	
		5					6	
				2	3	8	1	

201

					5			
7	9			3	8			
		8	9	7			1	
1							7	
		9		5		6		
	8							5
	4			6	9	8		
			2	4			9	7
			3					

202

				1				
	5			3			9	
8				5				6
			2	7	9			
		8				1		
4			1		3			7
		9				7		
	2	7				4	3	
		4		6		9		

203

		8		1				
	5		2		4			9
6								
	8	6			7	4		
	7		3				5	
	2	3			9	7		
8								
	9		4		5			2
		2		6				

204

		4		9		8		
7		9						
		3		4		6		9
3					5			
				1		4		8
5		8						
			4			1	7	5
9			7		6		3	

205

	1						9	
				3				
		2	7		4	6		
	4	7		8		9	3	
9				5				6
	2		4		9		7	
4								8
		1				3		

206

					3	8		4
					9			7
		4		8				
				4		5		
		2	8		6			9
9	1			5		4		
5			6		8	3		
							1	
1	8			9				

207

			2		6	8		
6						5		
	9						4	1
7				9			3	
			3	2	1			
	2			4				6
1	8						9	
		5						4
		4	5		2			

208

8	6	9		5				
7							2	
			9	7				
		3	8		4		6	
				3				
	7		1		9	2		
				4	6			
	9							7
				9		6	3	5

209

			4				1	
	3				7	6		8
		8				2		7
8			2			3		
				9	8			
	2			1				
	1	4	3					
9								2
	8	2					7	1

210

2		4		3				
	5		2		7	1		3
	9	3			5			
	8			6			1	
			9			3	5	
8		2	3		4		6	
				9		2		5

211

2				6				4
		9	1					
	4		8		5			
	6	1			9			5
5						1		
		8	4				6	3
				9		5		
					2		1	
4			6		7			2

212

	8			5	1	9	6	
		3						
2			3					
		5					2	
	3		6	2	9		8	
	2					4		
					7			1
						5		
	1	7	8	4			3	

213

	1				5		9	
4		2						3
			7					
	2			1			6	
5	6		3					
	4			9			2	
			4					
8		1						7
	9				6		8	

214

				2		5		1
		4	7			6		
					4	7		
				8				2
	7		5	4	9		3	
9				6				
		1	4					
		3			5	4		
8		5		1				

215

7				3		9		
			1		2			4
				9	5		8	
8		3					5	
	1	7		2	3			
2		6					4	
				7	9		1	
			3		8			6
6				5		8		

216

			3					9
	2		4		6			
		6					4	
1		7		2		4		
	3			7			5	
		5		9		2		6
	4					7		
			7		2		3	
7					5			

217

4						2		
	2	9		7				
6					9			7
				8			3	2
		4	5				6	
				4			7	9
8					1			6
	1	3		2				
7						1		

218

1		2			3			
				7				
7		3	9	5				2
		7					5	
	6	5		8			4	
2					4	1		
					5	8		
			7	6			1	
		4						5

219

4		1				7		5
		8				2		
	6						1	
	4		5	3	1		8	
	3						5	
			3		7			
8				4				7
	7	6		9		8	2	

220

	8	9		2		3		
7			1		8		2	
		5						1
					2			
	1			7			3	
			6					
8						7		
	6		4		5			9
		4		3		6	1	

221

3		5		6	9			
				4				
	1	4	5				9	
				7			5	4
5		2			3			6
				2			8	1
	4	1	2				6	
				5				
2		8		9	1			

222

		3					6	
7	2					1		
			2	7		4		
				5	3	9		
5				2				4
		4	6	1				
		2		9	8			
		1					4	7
	8					3		

223

6			5	3	1			2
	5							8
						4		
4						5		9
1					9	3		
9				2	4	8		
		9	1	4	3			
2	3		7					

224

6								4
			7		4			
	1			5			8	
	7	5		2		9	4	
			4	1	5			
1								2
9		2				8		5
4			6		2			3

225

	9		2					5
		4					3	
6	2			9				4
					3	2		
			1	8	9			
		6	4					
2				3			9	1
	8					6		
5					7		4	

226

8				6				
			5				4	8
				8	3	5		
	1					5		
7							1	6
		3			9			2
		7	1			2		
	5	4		2			7	
	8			9	5			

227

		4		8				9
		7			9		3	2
	2		4					1
						7		
			6	4	7			
		5						
3					4		5	
6	9		5			3		
5				9		1		

228

				2				
		6				7		
	3			4			5	
				5				
5			7		2			4
	6						9	
		3				1		
		4	1		8	6		
	5	9		6		8	7	

229

5				4				2
				3				
	9	1		8		3	4	
	7		2		3		8	
4		9		6		7		5
6								3
			5		6			
		8		9		6		

230

	1	4	8				7	
5	6							9
			7					
	5				9		1	
1				8				3
	3		2				8	
					6			
2							9	4
	4				8	6	2	

231

7	2		6		4			5
8				1	7			2
		3						7
1			7			8		
	3			5		7		
6	8					5		
			8	4	9			
							5	
3	4	9						

232

1			7			4		
					6	5		9
	1				5		2	4
8		3		4		7		6
4	6		2				8	
7		2	8					
		6			3			2

233

7					8		5	
	1			5				8
			2					
		4		1		8		
	5		4					2
3					7			
			6			4	7	3
1						6		
	4			8		5		

234

6		2					9	
	7					6		8
1		3			7			
				6				2
			8	5	4			
9				3				
			2			5		4
3		5					7	
	1					8		9

235

		7		6				
			2	4			6	
1		5		8		7		
	4						9	
		2		1		5		
	5						2	
		8		9		4		6
	3			7	4			
				5		8		

236

						1	9	
			7		5			
	3			6		4		7
8		9	6				1	
				2				
	1				3	6		8
9		7		1			3	
			3		6			
	5	2						

237

			5		7			
6	9							1
7			1	6				4
	6				9		1	
		7	4				3	
	2				3		5	
2			8	1				3
1	7							8
			7		6			

238

	5			4	1		9	
4				7	3	8		
						2	1	
2		8		3		4		7
	7	3						
		5	7	9				1
	6		3	8			2	

239

			3			8		5
	9			7				
	3				6		7	
1			2					
		6		3		1	4	
8			9					
	2				9		5	
	8			4				
			7			9		8

240

					6		2	
	2					5		6
	3		8				7	
				7	8			
	7	5		9		3	1	
			1	5				
	9				4		3	
6		7					8	
	1		9					

	8			1		3	4	
		3				1		
			2		9			
		5						1
		1		2	3		7	9
		4						3
			4		8			
		8				9		
	4			7		6	2	

7			2	6				
	8			7	9		1	
		4	5					9
5		1						
3	6							4
	9				7		8	
						8		1
	2				5		3	
		6		1		5		

243

	2		7		8		1	
	3						7	
	4		6		1		2	
			8		2			
1								3
		4		6		8		
	1		5		6		8	
		7				9		
		6				2		

244

	2		7			1		
							7	
				4			5	
	8				7	6	2	
2		4		1		8		7
	7	3	5				4	
	6			8				
	4							
		7			3		6	

245

				5			8	
6					4			1
	4		3		9			7
		2						8
	6			1			5	
3						2		
1			8		3		4	
8			4					9
	3			6				

246

	4						9	
9			2	3	6			1
5								2
			9		5			
		5	8		4	1		
7		9				4		8
	7		5		3		2	
		1				7		

247

4				9				1
		1				5		
			6		2			
				6				
1	4						5	9
	5			8			4	
5								8
		6	3		7	2		
9								6

248

5				8		1		
								4
	2	9	1				7	
	5				9			2
		1	3				5	7
	3				2			8
	7	2	9				6	
								9
6				4		7		

249

		4		8		6		
			7					9
5	6							
3			6		7			
9						7	4	5
1			9		5			
7	3							
			3					8
		2		6		9		

250

9	4			7				
	8							
			4		1	5		
6			9		2		3	
		2		3		8		
	3		5		8			7
		6	1		4			
							7	
				5			2	8

251

3	6	1			2			
5	7		6					
2		4		7				3
	3		2	1	7			
		9	4					
1			5					6
						2	9	4
						3	8	
		2			4	1		

252

		3		7		8		
	8	7				6	4	
1				9				5
			8		1			
2								6
			5	6	7			
4		1				2		9
	6						5	
			4		6			

253

			7		9		6	
3				2				
5		8					7	
					7	3		
	5	9			1	6		
					6	4		
2		6					1	
9				6				
			4		5		3	

254

	2		3		5			
	8							
			6	9				1
2			7					6
	1	6		2		9	4	
7					3			8
8				7	1			
							9	
			9		2		1	

255

				7	6			
6	5					2	4	
		3	5					7
		2					8	
			3	5	9			
	4					5		
1					5	6		
	7	9					5	1
			7	9				

256

			9		8			
	7			4			9	
	9						5	
	1						7	
		6	5		1	8		
2								5
4			2		3			1
1								6
		7		1		4		

257

		9				8		
2	1			9			6	7
6								5
		6				7		
	3						8	
			1	5	3			
		4	2	6	7	3		
8		3				5		6

258

		5						
2	6	1				7		
	7		8				6	
					6		5	8
		7		1		2		
3	8		9					
	1				7		9	
		9				4	7	3
						8		

259

				7				
3			8					
8	9				6	4		
		7		1			9	
	3	4	9				2	1
		1		2			5	
7	5				3	8		
1			4					
				5				

260

						8	1	
		9			6			
				8	5		2	9
2			5					7
1				3				2
8					2			5
7	1		4	5				
			6			4		
	3	5						

261

				1				
	9				5			
5				7	6			
		4				2	7	
	2					5		9
	7		8					
		1			3			
6			1	2			8	
7	8					9		

262

8	2				9			
			4	7		2		
	9		5					
9	6							2
4				3				1
7							4	9
					4		8	
		1		8	3			
			7				5	3

263

	4				8	9	3	
2				4				
						6	2	
				8	9		7	1
	7		6			4		
9			7					
7		9	5					
1		2	4					
			3					6

264

3								4
		4		2		8		
		5				7		
	1			6			9	
7		2				5		6
	3		7		8		1	
			3		6			
8				4				9
			5		2			

	5						2	
			5		9			
		4	8		3	1		
	2		1		4		7	
		7	2		6	3		
	4			1			5	
3				2				9
		8		3		4		

					9			3
		1			2		7	
		8		4			5	
	8		4				2	5
				1				
6	7				8		4	
	6			8		7		
	4		6			3		
8			2					

267

8	6				4		7	
5					8	2	9	
			6					
		7	4		3			
				2		1		
4	5		1					
	1			5			6	
6	2					5	1	
								9

268

			7					
	3	8				2		
6			9					5
	1		4		5		3	2
				2				
2	4		1		3		9	
9					8			3
		3				6	4	
					7			

269

		3				4	1	
1			8					2
4				9				7
			7					
	7		5	4	1		2	
					9			
5				6				8
6					3			4
	2	9				3		

270

	4			1				
			9		7		1	5
							8	
7			4			9		
9			8	7	2			4
		4			5			6
	3							
1	9		7		8			
				6			4	

271

			3		1			
6								3
	1						2	
				7				
	2			9			1	
	9		2	3	4		8	
7		8				4		6
			5		7			
		4				7		

272

				3	4			2
1					9			
	3	4						
			2		8		9	4
			6					8
			1	4	5			
	5	9				4		
7	8	3				6		
	6						3	

273

6	9		1					
			2				6	3
					6	7		
3	2				7	5		
		8						
9	4				1	3		
					3	6		
			5				4	8
8	5		9					

274

					9			
8					2		7	
4		2	3			6	8	
			2			1		6
				5				
1		4			3			
	7	3			6	2		1
	4		1					9
			7					

275

2				8				4
				2				
	3		7				2	
		8				4	6	
3			5	6	8			1
	2	1				9		
	9				1		3	
				9				
7				4				6

276

			5					
1			4				3	
		2		9				7
		7	6					9
	5	9		2		7	8	
4					8	6		
8				6		2		
	7				9			6
					5			

	3	8	1	9				5
							2	
6		2	4		5	8		
5				8				
		1		6	9	3		
3				1				
7		4	6		8	1		
							8	
	8	6	3	4				7

			6	4	9			
		3	7		5	1		
		8				5		
	9		2		6		4	
8								7
7			3		8			9
	1			2			6	
			9	6	1			

279

5			9		1			4
	6	7				9	8	
7		9		3		2		8
				7				
		3				5		
	1		2		4		7	
8				5				3
2								1

280

	3			9				
6			3		8		7	2
4						9		
					9			
5		9		4		3		8
			7					
		7						3
8	2		6		1			5
			7				6	

281

	5			3				7
		9	8			3		
				1	7		5	
4						2		
2		6				7		8
5							6	
		8		5			9	
	6							4
			1	4	3			

282

3			8	1				
						5		4
		9					3	
6			7				8	
8				9				
					8	1	4	9
	1				3	6	2	
		8	1		4	3		
	7				2			

283

					1	3	8	
	3		9					
7		6		5			2	
		1					4	8
				7				
3	5					9		
	9			3		2		1
					4		9	
	2	5	1					

284

	7	1	2	5				
		6			1		4	
						7		9
3								
	5	2		6		3	8	
								7
6		4						
	9		1			4		
				4	6	8	2	

285

	1				2			8
	3			7			1	
		9	3					
		2	1			8		9
						4		
		4	6			3		7
		6	2					
	2			5			9	
	8				9			5

286

					8			9
		4					3	
	7			5				2
	8			6		3		
		2	9	4	7	1		
		9		8			7	
6				3			4	
	4					7		
3			6					

287

	1		2		5		4	
	8			6			9	
		5		4		8		
		4	5		3	7		
	2			7			3	
		3				4		
	5		9		6		8	
				2				

288

	9	1			7			3
6	3		1		8			
	6			2		9		8
2		5	6				7	
	7			5		2		4
3	1		5		2			
	5	8			6			7

289

		6		1	9		2	
2								8
	3				7	1		
				4		7		2
					8			5
	9							
5		2						3
			2			4		
4		7					1	

290

1						5		3
5							7	
	6		1	3				
2	1			9				
		3		7		6		
				1			3	2
				2	4		8	
	9							7
4		2						9

291

		2					9	
			2			6	4	
		8		1	7			
	4		6					9
7								4
	5		8					2
		1		9	3			
			1			7	3	
		5					8	

292

7								4
		1	2	6				
5					1	6		
	7				6	3	8	
			9		5			
	5				4	9	2	
2					3	7		
		6	7	4				
3								9

293

					8			9
					4		3	
			7	9		2	8	
		1		2				
		5	8		7			6
6	2			4				
		2				3	6	
	3	6				8	5	
7				8				

294

	7	4					6	
	1				8		3	9
9				2				
			8				7	
		9	3	6		4		
			5	4	7			
				9				6
	3						9	1
					5			

2					5			9
	3		8		4	7		
7								
1							3	
		2	9	1	6	8		
	5							1
								4
		9	2		8		7	
6			7					2

4			2			3		
1	3			6				7
			1	9				
9	1							
6				9				1
							3	8
			7	2				
7				4			6	5
		2			6			3

Puzzle 1:

4								
	8	2	6	5				
	7	6						1
				9	6			2
			1	7	3			
9			5	4				
7						5	9	
				3	8	1	7	
								8

Puzzle 2:

	7			2			5	
			4		7			
		3				6		
	9	6				8	3	
				1				
			9	5	3			
			5		1			
3			8	7	6			9
5				9				7

299

	8				5	7		
5	4	3	9				1	
			4					
8		7						
		1		2		8		
						3		4
					7			
	1				9	5	7	6
		9	6				3	

300

7		5	9					3
	1							
			5			8		
6					7		2	
2		8		5		3		7
	7		3					5
		9			2			
							1	
4					9	5		2

ANSWERS

1

2	1	7	3	5	8	6	4	9
5	8	9	2	6	4	7	3	1
4	6	3	7	9	1	2	8	5
3	7	1	5	2	6	4	9	8
9	4	5	8	3	7	1	2	6
6	2	8	1	4	9	5	7	3
8	9	2	4	1	5	3	6	7
1	3	6	9	7	2	8	5	4
7	5	4	6	8	3	9	1	2

2

3	5	2	6	7	9	8	4	1
1	8	7	2	4	3	6	9	5
9	6	4	1	5	8	2	7	3
8	2	1	7	3	5	4	6	9
5	4	6	9	2	1	7	3	8
7	3	9	8	6	4	5	1	2
2	9	8	4	1	6	3	5	7
6	7	3	5	9	2	1	8	4
4	1	5	3	8	7	9	2	6

3

4	3	8	1	9	2	7	6	5
1	7	5	8	3	6	9	2	4
6	9	2	4	7	5	8	1	3
5	2	9	7	8	3	6	4	1
8	4	1	5	6	9	3	7	2
3	6	7	2	1	4	5	9	8
7	5	4	6	2	8	1	3	9
2	1	3	9	5	7	4	8	6
9	8	6	3	4	1	2	5	7

4

2	3	4	8	9	6	1	5	7
1	5	8	7	4	3	2	6	9
6	7	9	2	1	5	4	3	8
4	2	7	1	3	8	5	9	6
8	9	5	4	6	2	7	1	3
3	6	1	9	5	7	8	2	4
5	4	3	6	7	1	9	8	2
9	8	6	5	2	4	3	7	1
7	1	2	3	8	9	6	4	5

5

4	7	9	1	5	2	8	3	6
8	6	1	3	4	7	9	5	2
5	3	2	6	8	9	4	1	7
2	9	4	5	6	1	7	8	3
3	5	7	9	2	8	6	4	1
1	8	6	7	3	4	2	9	5
9	2	5	8	7	3	1	6	4
6	4	8	2	1	5	3	7	9
7	1	3	4	9	6	5	2	8

6

3	8	5	2	1	6	7	4	9
1	4	6	3	7	9	2	8	5
2	7	9	4	8	5	3	1	6
8	3	1	7	6	2	5	9	4
4	6	2	9	5	3	1	7	8
9	5	7	8	4	1	6	2	3
7	1	3	5	9	4	8	6	2
6	2	4	1	3	8	9	5	7
5	9	8	6	2	7	4	3	1

7

6	9	1	5	8	7	4	2	3
5	3	2	4	1	6	8	9	7
7	4	8	3	2	9	1	6	5
8	2	6	7	5	3	9	4	1
4	1	5	2	9	8	3	7	6
9	7	3	6	4	1	2	5	8
1	8	4	9	6	5	7	3	2
3	6	9	1	7	2	5	8	4
2	5	7	8	3	4	6	1	9

8

4	3	7	5	6	1	8	9	2
1	8	9	2	7	4	6	5	3
2	6	5	9	8	3	7	1	4
6	2	8	4	5	9	3	7	1
5	1	3	6	2	7	4	8	9
7	9	4	1	3	8	2	6	5
8	7	2	3	9	5	1	4	6
3	5	1	8	4	6	9	2	7
9	4	6	7	1	2	5	3	8

9

7	8	9	3	1	6	2	4	5
5	4	2	9	7	8	3	1	6
3	1	6	2	4	5	8	7	9
9	6	4	1	8	2	5	3	7
1	2	7	5	3	4	6	9	8
8	3	5	6	9	7	1	2	4
6	9	3	4	5	1	7	8	2
2	7	1	8	6	9	4	5	3
4	5	8	7	2	3	9	6	1

10

4	1	6	2	3	7	5	8	9
5	9	8	1	4	6	7	3	2
3	2	7	8	5	9	1	4	6
2	3	5	6	9	1	8	7	4
9	6	4	7	8	3	2	1	5
8	7	1	5	2	4	6	9	3
6	8	3	9	7	5	4	2	1
1	4	2	3	6	8	9	5	7
7	5	9	4	1	2	3	6	8

11

2	1	5	6	8	7	3	9	4
6	3	4	9	2	5	7	1	8
8	9	7	4	3	1	5	6	2
7	2	8	1	6	3	9	4	5
9	4	6	8	5	2	1	3	7
3	5	1	7	4	9	8	2	6
1	8	2	3	7	4	6	5	9
4	7	9	5	1	6	2	8	3
5	6	3	2	9	8	4	7	1

12

2	6	9	5	7	8	4	3	1
4	1	3	9	6	2	8	7	5
8	5	7	4	1	3	9	2	6
5	3	4	7	8	6	1	9	2
9	2	6	3	5	1	7	4	8
1	7	8	2	4	9	6	5	3
6	9	5	1	3	7	2	8	4
3	8	2	6	9	4	5	1	7
7	4	1	8	2	5	3	6	9

13

6	4	2	1	9	8	7	3	5
1	8	7	5	2	3	9	4	6
5	9	3	4	6	7	2	8	1
2	7	8	3	5	9	1	6	4
4	1	9	6	8	2	5	7	3
3	6	5	7	1	4	8	2	9
7	5	1	2	4	6	3	9	8
9	3	4	8	7	5	6	1	2
8	2	6	9	3	1	4	5	7

14

4	7	5	9	8	3	1	2	6
1	9	2	5	6	7	3	8	4
8	3	6	4	1	2	7	9	5
7	4	8	3	2	9	6	5	1
5	1	9	7	4	6	2	3	8
6	2	3	1	5	8	4	7	9
9	8	7	6	3	1	5	4	2
2	6	4	8	7	5	9	1	3
3	5	1	2	9	4	8	6	7

15

4	7	1	3	6	2	5	9	8
8	6	5	9	1	4	2	7	3
2	3	9	5	7	8	6	1	4
5	2	8	1	4	3	9	6	7
7	4	6	8	2	9	1	3	5
1	9	3	7	5	6	4	8	2
9	5	7	2	3	1	8	4	6
6	1	2	4	8	7	3	5	9
3	8	4	6	9	5	7	2	1

16

9	6	1	2	7	5	8	3	4
7	5	4	8	3	9	1	2	6
3	2	8	1	6	4	9	7	5
2	1	3	6	8	7	5	4	9
5	4	7	3	9	1	6	8	2
6	8	9	4	5	2	3	1	7
1	9	5	7	2	8	4	6	3
8	3	2	9	4	6	7	5	1
4	7	6	5	1	3	2	9	8

17

7	3	1	2	9	4	5	8	6
6	9	5	3	1	8	4	7	2
4	8	2	5	6	7	9	3	1
3	4	6	8	2	9	1	5	7
5	7	9	1	4	6	3	2	8
2	1	8	7	5	3	6	4	9
9	6	7	4	8	5	2	1	3
8	2	4	6	3	1	7	9	5
1	5	3	9	7	2	8	6	4

18

1	8	4	6	5	7	9	3	2
3	9	6	8	2	1	7	5	4
7	5	2	9	4	3	6	1	8
2	3	1	4	6	8	5	7	9
5	6	7	1	9	2	8	4	3
9	4	8	3	7	5	2	6	1
8	7	5	2	1	4	3	9	6
6	1	3	5	8	9	4	2	7
4	2	9	7	3	6	1	8	5

19

4	5	2	6	3	1	8	9	7
8	9	3	2	7	4	1	6	5
7	6	1	5	8	9	2	4	3
3	4	5	1	9	2	7	8	6
6	8	9	7	5	3	4	1	2
1	2	7	4	6	8	5	3	9
9	3	4	8	2	5	6	7	1
2	1	6	9	4	7	3	5	8
5	7	8	3	1	6	9	2	4

20

4	9	2	3	7	5	8	1	6
5	1	8	4	2	6	3	7	9
3	6	7	1	8	9	2	5	4
2	3	1	8	6	7	9	4	5
9	7	6	5	4	3	1	2	8
8	4	5	9	1	2	7	6	3
6	2	9	7	5	8	4	3	1
7	8	4	6	3	1	5	9	2
1	5	3	2	9	4	6	8	7

21

5	9	6	8	4	2	7	3	1
2	4	1	7	3	9	8	6	5
8	7	3	6	5	1	4	9	2
6	2	8	5	7	3	9	1	4
9	3	4	2	1	8	6	5	7
1	5	7	9	6	4	2	8	3
4	8	5	1	9	7	3	2	6
7	6	2	3	8	5	1	4	9
3	1	9	4	2	6	5	7	8

22

8	4	1	5	6	2	9	3	7
5	6	3	9	7	4	1	2	8
2	7	9	3	8	1	5	4	6
3	9	8	1	2	6	7	5	4
1	5	7	4	9	8	2	6	3
6	2	4	7	3	5	8	9	1
9	1	6	8	5	3	4	7	2
7	8	2	6	4	9	3	1	5
4	3	5	2	1	7	6	8	9

23

4	6	8	2	1	9	3	5	7
2	3	9	5	7	4	8	1	6
5	7	1	6	3	8	4	9	2
7	9	2	8	5	1	6	3	4
3	8	4	9	6	2	5	7	1
1	5	6	7	4	3	9	2	8
6	1	5	4	9	7	2	8	3
9	2	7	3	8	6	1	4	5
8	4	3	1	2	5	7	6	9

24

8	4	2	3	6	1	7	5	9
3	6	1	5	7	9	4	8	2
9	7	5	8	2	4	6	1	3
7	5	9	6	3	2	8	4	1
4	1	8	9	5	7	3	2	6
6	2	3	1	4	8	9	7	5
1	9	4	2	8	3	5	6	7
5	3	7	4	1	6	2	9	8
2	8	6	7	9	5	1	3	4

25

8	1	4	5	9	7	3	6	2
7	2	9	6	3	8	1	4	5
3	5	6	1	4	2	9	7	8
4	8	1	9	7	5	2	3	6
9	3	2	8	1	6	4	5	7
5	6	7	4	2	3	8	9	1
6	4	3	2	5	1	7	8	9
2	9	8	7	6	4	5	1	3
1	7	5	3	8	9	6	2	4

26

5	7	1	8	2	4	6	9	3
9	2	6	3	7	1	5	4	8
3	4	8	6	5	9	7	1	2
1	9	5	2	8	6	4	3	7
7	8	2	4	9	3	1	6	5
6	3	4	5	1	7	2	8	9
2	6	3	7	4	8	9	5	1
4	1	7	9	3	5	8	2	6
8	5	9	1	6	2	3	7	4

27

7	3	1	2	9	4	5	8	6
6	9	5	3	1	8	4	7	2
4	8	2	5	6	7	9	3	1
3	4	6	8	2	9	1	5	7
5	7	9	1	4	6	3	2	8
2	1	8	7	5	3	6	4	9
9	6	7	4	8	5	2	1	3
8	2	4	6	3	1	7	9	5
1	5	3	9	7	2	8	6	4

28

5	4	8	9	1	6	7	3	2
7	2	1	8	3	5	9	6	4
6	9	3	7	2	4	1	5	8
1	8	2	4	9	3	5	7	6
9	7	6	2	5	8	4	1	3
3	5	4	6	7	1	2	8	9
4	6	9	5	8	7	3	2	1
2	1	7	3	6	9	8	4	5
8	3	5	1	4	2	6	9	7

29

4	3	1	7	2	8	5	9	6
2	9	5	6	3	4	7	8	1
6	8	7	1	5	9	4	3	2
5	1	8	4	6	7	9	2	3
9	7	4	3	8	2	1	6	5
3	2	6	5	9	1	8	4	7
1	4	2	8	7	3	6	5	9
8	5	9	2	1	6	3	7	4
7	6	3	9	4	5	2	1	8

30

3	9	1	5	7	8	2	6	4
6	4	7	9	2	1	8	5	3
8	5	2	6	3	4	7	9	1
4	2	8	3	9	5	1	7	6
5	6	3	1	4	7	9	8	2
1	7	9	8	6	2	4	3	5
2	8	4	7	5	6	3	1	9
7	3	5	2	1	9	6	4	8
9	1	6	4	8	3	5	2	7

31

1	6	9	2	5	7	3	8	4
8	3	2	4	6	1	7	5	9
4	7	5	8	3	9	2	6	1
2	1	3	5	7	8	9	4	6
6	9	8	1	4	2	5	3	7
7	5	4	6	9	3	1	2	8
5	4	7	3	1	6	8	9	2
9	8	6	7	2	5	4	1	3
3	2	1	9	8	4	6	7	5

32

4	1	3	9	2	5	7	6	8
8	7	5	1	4	6	9	3	2
9	6	2	7	3	8	4	5	1
5	2	4	6	9	7	1	8	3
1	8	9	3	5	2	6	7	4
6	3	7	8	1	4	2	9	5
7	5	6	4	8	1	3	2	9
2	9	1	5	7	3	8	4	6
3	4	8	2	6	9	5	1	7

33

9	8	2	1	6	4	3	5	7
7	6	5	2	9	3	4	1	8
4	3	1	8	5	7	9	6	2
8	7	4	9	1	2	6	3	5
5	1	6	7	3	8	2	9	4
2	9	3	5	4	6	7	8	1
6	5	9	4	2	1	8	7	3
3	2	8	6	7	5	1	4	9
1	4	7	3	8	9	5	2	6

34

5	3	7	2	1	9	8	4	6
2	4	6	8	7	5	3	1	9
1	8	9	3	4	6	5	2	7
7	6	2	1	9	3	4	8	5
8	9	4	6	5	2	7	3	1
3	5	1	7	8	4	6	9	2
9	7	8	5	3	1	2	6	4
4	2	3	9	6	7	1	5	8
6	1	5	4	2	8	9	7	3

35

1	7	8	4	2	3	5	6	9
3	2	9	6	8	5	4	7	1
6	4	5	1	7	9	2	3	8
2	3	6	8	1	7	9	5	4
9	8	1	5	6	4	3	2	7
4	5	7	3	9	2	8	1	6
8	6	4	2	3	1	7	9	5
5	9	3	7	4	6	1	8	2
7	1	2	9	5	8	6	4	3

36

1	9	4	3	7	5	2	8	6
2	6	8	9	1	4	5	7	3
5	7	3	6	8	2	1	4	9
3	5	6	4	2	9	8	1	7
7	4	1	5	6	8	3	9	2
9	8	2	7	3	1	4	6	5
4	2	5	8	9	6	7	3	1
6	1	7	2	4	3	9	5	8
8	3	9	1	5	7	6	2	4

37

3	4	2	1	5	9	6	8	7
8	5	6	4	3	7	2	1	9
9	1	7	6	8	2	5	4	3
5	7	8	3	2	6	4	9	1
4	6	9	7	1	5	3	2	8
2	3	1	8	9	4	7	5	6
7	9	5	2	6	1	8	3	4
1	8	4	5	7	3	9	6	2
6	2	3	9	4	8	1	7	5

38

7	3	1	2	9	4	5	8	6
6	9	5	3	1	8	4	7	2
4	8	2	5	6	7	9	3	1
3	4	6	8	2	9	1	5	7
5	7	9	1	4	6	3	2	8
2	1	8	7	5	3	6	4	9
9	6	7	4	8	5	2	1	3
8	2	4	6	3	1	7	9	5
1	5	3	9	7	2	8	6	4

39

1	5	6	7	4	3	8	2	9
8	2	9	6	5	1	7	3	4
4	3	7	9	8	2	5	6	1
6	9	2	5	3	4	1	8	7
3	7	4	8	1	6	9	5	2
5	1	8	2	7	9	3	4	6
9	6	3	1	2	8	4	7	5
2	4	5	3	9	7	6	1	8
7	8	1	4	6	5	2	9	3

40

6	2	5	7	4	8	9	1	3
4	3	1	5	2	9	6	8	7
7	9	8	3	1	6	4	5	2
1	8	4	9	6	3	7	2	5
2	7	9	8	5	1	3	4	6
3	5	6	2	7	4	1	9	8
5	6	2	4	9	7	8	3	1
8	4	7	1	3	5	2	6	9
9	1	3	6	8	2	5	7	4

41

1	4	5	7	9	2	8	3	6
7	6	8	1	5	3	4	9	2
9	2	3	4	6	8	1	7	5
2	3	6	5	8	4	7	1	9
8	5	7	3	1	9	2	6	4
4	9	1	2	7	6	5	8	3
6	7	9	8	2	5	3	4	1
5	1	4	9	3	7	6	2	8
3	8	2	6	4	1	9	5	7

42

9	6	2	4	8	3	1	5	7
1	7	5	9	2	6	3	4	8
8	4	3	5	7	1	6	2	9
5	3	8	7	4	2	9	1	6
7	2	6	1	9	8	4	3	5
4	1	9	3	6	5	8	7	2
6	5	4	2	3	9	7	8	1
2	9	7	8	1	4	5	6	3
3	8	1	6	5	7	2	9	4

43

8	5	2	7	4	9	6	3	1
3	1	9	8	5	6	2	7	4
6	4	7	1	3	2	5	9	8
5	6	8	9	2	7	4	1	3
2	3	4	5	1	8	9	6	7
9	7	1	4	6	3	8	5	2
1	2	3	6	9	4	7	8	5
7	9	5	2	8	1	3	4	6
4	8	6	3	7	5	1	2	9

44

3	4	7	2	5	9	8	1	6
8	6	1	3	4	7	5	2	9
5	9	2	1	8	6	7	4	3
6	3	8	9	7	4	2	5	1
9	1	4	8	2	5	3	6	7
7	2	5	6	1	3	4	9	8
2	7	9	4	6	8	1	3	5
1	8	3	5	9	2	6	7	4
4	5	6	7	3	1	9	8	2

45

2	4	9	5	1	3	6	8	7
7	5	6	2	4	8	1	9	3
1	8	3	6	9	7	4	2	5
8	2	7	4	6	9	5	3	1
3	6	5	8	2	1	9	7	4
9	1	4	3	7	5	2	6	8
5	9	1	7	3	2	8	4	6
6	3	2	1	8	4	7	5	9
4	7	8	9	5	6	3	1	2

46

4	8	1	9	5	2	3	6	7
7	3	2	4	1	6	8	5	9
5	6	9	8	7	3	1	4	2
2	4	3	5	6	7	9	1	8
6	1	8	3	9	4	7	2	5
9	5	7	1	2	8	6	3	4
1	7	6	2	4	9	5	8	3
3	2	5	7	8	1	4	9	6
8	9	4	6	3	5	2	7	1

47

6	2	1	3	8	5	4	7	9
9	8	4	2	1	7	6	5	3
5	7	3	6	9	4	2	8	1
2	5	8	7	4	9	1	3	6
3	1	6	5	2	8	9	4	7
7	4	9	1	6	3	5	2	8
8	9	5	4	7	1	3	6	2
1	3	2	8	5	6	7	9	4
4	6	7	9	3	2	8	1	5

48

8	7	4	6	9	3	1	2	5
1	5	9	2	7	4	6	8	3
6	3	2	1	5	8	7	4	9
4	1	5	3	8	2	9	6	7
7	8	3	9	1	6	4	5	2
9	2	6	7	4	5	3	1	8
2	6	1	8	3	9	5	7	4
3	4	7	5	2	1	8	9	6
5	9	8	4	6	7	2	3	1

49

8	3	6	9	4	1	2	7	5
2	9	7	3	5	8	6	4	1
5	1	4	7	2	6	3	9	8
6	4	9	8	7	2	5	1	3
3	5	1	6	9	4	7	8	2
7	2	8	1	3	5	9	6	4
1	8	5	2	6	7	4	3	9
4	6	3	5	1	9	8	2	7
9	7	2	4	8	3	1	5	6

50

9	3	5	4	8	7	1	6	2
1	7	6	3	2	5	9	4	8
2	4	8	9	6	1	5	3	7
8	5	7	2	3	9	4	1	6
4	2	1	5	7	6	3	8	9
6	9	3	1	4	8	7	2	5
5	8	9	6	1	3	2	7	4
3	6	4	7	9	2	8	5	1
7	1	2	8	5	4	6	9	3

51

1	8	6	5	3	9	7	2	4
7	4	3	6	1	2	5	9	8
5	2	9	8	7	4	3	1	6
9	3	8	1	4	7	6	5	2
6	5	7	2	8	3	9	4	1
2	1	4	9	5	6	8	7	3
3	9	5	4	6	1	2	8	7
8	7	1	3	2	5	4	6	9
4	6	2	7	9	8	1	3	5

52

1	9	5	3	6	4	7	8	2
4	2	8	1	7	5	9	3	6
6	3	7	8	9	2	1	4	5
7	5	9	2	3	6	8	1	4
3	4	2	5	8	1	6	9	7
8	1	6	7	4	9	2	5	3
5	6	1	4	2	8	3	7	9
9	8	3	6	5	7	4	2	1
2	7	4	9	1	3	5	6	8

53

4	9	8	5	7	3	1	2	6
3	2	1	9	6	8	4	7	5
6	5	7	2	1	4	9	3	8
8	1	2	7	4	6	5	9	3
9	4	3	1	5	2	6	8	7
7	6	5	8	3	9	2	4	1
5	8	4	6	9	7	3	1	2
2	3	6	4	8	1	7	5	9
1	7	9	3	2	5	8	6	4

54

1	5	3	8	9	4	6	7	2
9	7	6	3	1	2	4	5	8
8	4	2	6	5	7	9	3	1
2	9	4	1	8	3	5	6	7
6	1	7	9	4	5	2	8	3
3	8	5	7	2	6	1	4	9
4	2	1	5	7	8	3	9	6
5	6	8	2	3	9	7	1	4
7	3	9	4	6	1	8	2	5

55

1	3	4	6	8	7	2	9	5
5	6	2	3	4	9	7	1	8
7	9	8	1	5	2	3	6	4
6	7	3	4	1	8	9	5	2
4	5	9	2	6	3	8	7	1
2	8	1	7	9	5	4	3	6
8	1	5	9	3	4	6	2	7
3	4	7	5	2	6	1	8	9
9	2	6	8	7	1	5	4	3

56

4	1	8	3	6	9	2	7	5
7	2	5	8	1	4	6	9	3
6	9	3	5	2	7	4	1	8
8	3	2	4	7	1	5	6	9
1	6	9	2	3	5	7	8	4
5	4	7	9	8	6	1	3	2
2	7	4	1	9	8	3	5	6
3	8	6	7	5	2	9	4	1
9	5	1	6	4	3	8	2	7

57

4	9	5	3	6	1	2	7	8
7	2	1	4	8	9	3	5	6
3	8	6	5	2	7	9	4	1
5	7	8	1	9	3	6	2	4
6	4	3	8	7	2	1	9	5
2	1	9	6	4	5	8	3	7
9	6	7	2	1	4	5	8	3
8	5	4	9	3	6	7	1	2
1	3	2	7	5	8	4	6	9

58

2	8	5	3	6	4	1	9	7
6	7	9	5	1	8	4	2	3
4	3	1	2	9	7	5	6	8
1	9	7	4	5	2	3	8	6
5	6	8	1	3	9	2	7	4
3	2	4	8	7	6	9	5	1
7	1	6	9	2	3	8	4	5
8	5	2	6	4	1	7	3	9
9	4	3	7	8	5	6	1	2

59

8	1	6	5	9	2	4	3	7
3	4	7	8	1	6	2	9	5
2	9	5	7	3	4	8	6	1
4	7	8	1	2	3	6	5	9
9	5	3	6	8	7	1	2	4
6	2	1	9	4	5	7	8	3
5	6	2	4	7	9	3	1	8
1	3	4	2	5	8	9	7	6
7	8	9	3	6	1	5	4	2

60

3	6	9	8	7	4	2	1	5
8	2	7	3	1	5	9	4	6
4	1	5	6	2	9	8	3	7
1	3	6	4	9	7	5	8	2
2	7	4	5	8	6	1	9	3
9	5	8	1	3	2	6	7	4
7	4	2	9	5	1	3	6	8
6	8	1	2	4	3	7	5	9
5	9	3	7	6	8	4	2	1

61

8	1	5	6	4	7	3	9	2
6	2	7	5	3	9	1	8	4
3	4	9	1	8	2	5	6	7
1	6	2	7	9	4	8	5	3
7	9	3	2	5	8	4	1	6
5	8	4	3	6	1	2	7	9
4	5	6	9	1	3	7	2	8
9	7	8	4	2	5	6	3	1
2	3	1	8	7	6	9	4	5

62

7	1	5	8	9	2	4	6	3
9	3	6	4	7	1	8	2	5
8	4	2	3	6	5	7	9	1
6	5	8	1	2	4	3	7	9
2	7	3	5	8	9	6	1	4
1	9	4	7	3	6	5	8	2
4	6	9	2	5	8	1	3	7
5	2	7	6	1	3	9	4	8
3	8	1	9	4	7	2	5	6

63

9	4	2	8	5	1	3	6	7
6	7	8	2	3	9	5	1	4
1	5	3	4	7	6	8	2	9
7	8	5	9	2	3	6	4	1
3	1	6	5	4	7	9	8	2
4	2	9	6	1	8	7	5	3
5	9	4	3	8	2	1	7	6
2	6	7	1	9	5	4	3	8
8	3	1	7	6	4	2	9	5

64

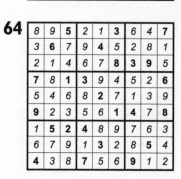

8	9	5	2	1	3	6	4	7
3	6	7	9	4	5	2	8	1
2	1	4	6	7	8	3	9	5
7	8	1	3	9	4	5	2	6
5	4	6	8	2	7	1	3	9
9	2	3	5	6	1	4	7	8
1	5	2	4	8	9	7	6	3
6	7	9	1	3	2	8	5	4
4	3	8	7	5	6	9	1	2

65

7	3	1	2	9	4	5	8	6
6	9	5	3	1	8	4	7	2
4	8	2	5	6	7	9	3	1
3	4	6	8	2	9	1	5	7
5	7	9	1	4	6	3	2	8
2	1	8	7	5	3	6	4	9
9	6	7	4	8	5	2	1	3
8	2	4	6	3	1	7	9	5
1	5	3	9	7	2	8	6	4

66

3	5	6	2	9	1	8	7	4
7	4	9	8	6	3	5	2	1
1	2	8	4	7	5	3	6	9
8	3	4	9	5	7	2	1	6
6	1	2	3	8	4	9	5	7
5	9	7	6	1	2	4	3	8
9	7	3	5	4	6	1	8	2
2	8	1	7	3	9	6	4	5
4	6	5	1	2	8	7	9	3

67

5	4	8	7	3	1	2	9	6
7	6	2	4	9	8	3	5	1
1	3	9	2	6	5	8	4	7
9	1	4	5	7	2	6	3	8
2	5	3	9	8	6	7	1	4
8	7	6	1	4	3	5	2	9
6	9	7	3	5	4	1	8	2
3	8	1	6	2	9	4	7	5
4	2	5	8	1	7	9	6	3

68

1	3	5	7	2	4	8	9	6
7	8	6	3	1	9	5	4	2
9	4	2	5	8	6	3	7	1
2	9	8	1	5	3	4	6	7
6	7	1	4	9	8	2	5	3
3	5	4	6	7	2	1	8	9
4	1	7	2	6	5	9	3	8
8	2	3	9	4	7	6	1	5
5	6	9	8	3	1	7	2	4

69

2	5	8	3	1	6	9	4	7
7	1	9	2	4	5	3	6	8
3	6	4	7	8	9	5	2	1
9	8	7	1	2	3	4	5	6
6	2	5	9	7	4	8	1	3
1	4	3	6	5	8	7	9	2
4	3	2	5	6	7	1	8	9
5	9	1	8	3	2	6	7	4
8	7	6	4	9	1	2	3	5

70

3	8	6	9	4	1	7	5	2
7	1	2	6	5	8	3	9	4
5	4	9	7	2	3	8	1	6
1	7	4	3	9	5	2	6	8
2	6	3	8	1	4	5	7	9
9	5	8	2	7	6	4	3	1
4	9	7	1	3	2	6	8	5
8	2	1	5	6	7	9	4	3
6	3	5	4	8	9	1	2	7

71

5	8	3	9	7	2	4	6	1
4	6	7	5	8	1	3	9	2
9	2	1	3	4	6	5	7	8
6	4	8	7	2	3	1	5	9
7	9	5	1	6	4	8	2	3
1	3	2	8	5	9	7	4	6
8	7	9	2	3	5	6	1	4
3	1	4	6	9	7	2	8	5
2	5	6	4	1	8	9	3	7

72

5	9	2	3	7	4	1	6	8
8	1	4	5	9	6	2	3	7
6	3	7	8	1	2	5	4	9
4	7	5	1	2	9	3	8	6
1	8	3	7	6	5	9	2	4
2	6	9	4	8	3	7	5	1
3	4	8	9	5	7	6	1	2
9	2	1	6	3	8	4	7	5
7	5	6	2	4	1	8	9	3

73

7	8	2	4	9	5	1	3	6
4	3	6	1	8	7	2	5	9
5	1	9	6	2	3	8	7	4
6	2	5	7	1	4	9	8	3
3	4	8	9	6	2	5	1	7
1	9	7	5	3	8	4	6	2
8	5	3	2	4	6	7	9	1
2	7	1	3	5	9	6	4	8
9	6	4	8	7	1	3	2	5

74

7	3	6	4	2	1	9	5	8
8	4	9	7	3	5	1	6	2
5	2	1	6	9	8	3	4	7
6	1	2	5	8	4	7	3	9
9	7	8	3	1	6	4	2	5
3	5	4	2	7	9	8	1	6
2	9	3	1	5	7	6	8	4
4	8	5	9	6	3	2	7	1
1	6	7	8	4	2	5	9	3

75

2	5	6	3	9	7	1	4	8
3	8	4	5	1	6	2	7	9
1	9	7	2	8	4	6	3	5
5	7	1	8	4	9	3	2	6
6	3	2	7	5	1	8	9	4
9	4	8	6	3	2	5	1	7
4	6	3	9	2	8	7	5	1
7	1	5	4	6	3	9	8	2
8	2	9	1	7	5	4	6	3

76

1	5	2	8	3	7	4	9	6
9	7	4	2	5	6	3	1	8
8	3	6	1	4	9	5	2	7
7	4	1	5	2	8	6	3	9
2	8	9	3	6	1	7	5	4
5	6	3	9	7	4	2	8	1
6	1	5	4	9	3	8	7	2
4	2	8	7	1	5	9	6	3
3	9	7	6	8	2	1	4	5

77

5	4	7	6	8	3	9	1	2
8	6	1	9	4	2	3	5	7
3	2	9	7	1	5	4	8	6
4	5	2	3	7	9	8	6	1
9	8	6	4	2	1	7	3	5
1	7	3	5	6	8	2	9	4
7	1	4	8	9	6	5	2	3
6	3	8	2	5	4	1	7	9
2	9	5	1	3	7	6	4	8

78

4	1	9	2	7	3	6	5	8
2	7	3	5	8	6	4	1	9
5	6	8	4	1	9	3	7	2
1	3	7	8	5	4	9	2	6
8	2	6	1	9	7	5	3	4
9	4	5	3	6	2	7	8	1
3	5	2	6	4	8	1	9	7
7	8	4	9	3	1	2	6	5
6	9	1	7	2	5	8	4	3

79

9	7	6	3	1	5	8	4	2
1	3	5	2	8	4	7	6	9
4	2	8	9	7	6	1	5	3
6	8	2	4	9	7	3	1	5
5	1	3	6	2	8	9	7	4
7	4	9	5	3	1	2	8	6
8	9	4	1	6	2	5	3	7
2	5	7	8	4	3	6	9	1
3	6	1	7	5	9	4	2	8

80

7	1	8	2	6	3	9	5	4
5	9	2	4	1	8	3	6	7
4	6	3	9	5	7	2	1	8
1	7	9	3	4	5	8	2	6
3	4	6	1	8	2	7	9	5
8	2	5	7	9	6	4	3	1
6	5	4	8	3	9	1	7	2
2	3	1	6	7	4	5	8	9
9	8	7	5	2	1	6	4	3

81

5	6	9	3	2	4	8	1	7
7	8	1	6	9	5	4	3	2
2	4	3	1	8	7	5	6	9
8	2	5	9	6	1	7	4	3
3	9	6	4	7	8	2	5	1
1	7	4	5	3	2	9	8	6
9	1	7	8	4	6	3	2	5
6	3	8	2	5	9	1	7	4
4	5	2	7	1	3	6	9	8

82

4	1	5	7	8	6	2	3	9
9	7	2	5	1	3	8	6	4
6	8	3	9	4	2	7	1	5
2	4	1	8	3	5	6	9	7
7	9	8	6	2	1	5	4	3
5	3	6	4	7	9	1	2	8
3	5	9	2	6	7	4	8	1
1	6	4	3	5	8	9	7	2
8	2	7	1	9	4	3	5	6

83

7	4	5	1	9	3	2	8	6
8	3	2	7	4	6	9	5	1
9	1	6	2	5	8	4	7	3
4	2	1	3	8	5	7	6	9
3	8	9	6	7	1	5	2	4
6	5	7	4	2	9	1	3	8
1	7	4	8	3	2	6	9	5
2	9	3	5	6	4	8	1	7
5	6	8	9	1	7	3	4	2

84

6	8	7	9	5	1	2	3	4
3	2	1	6	7	4	8	5	9
5	9	4	2	8	3	6	1	7
1	5	3	8	4	7	9	2	6
8	6	2	3	1	9	4	7	5
7	4	9	5	6	2	3	8	1
9	1	8	4	3	5	7	6	2
4	7	6	1	2	8	5	9	3
2	3	5	7	9	6	1	4	8

85

8	6	4	7	3	9	1	2	5
2	5	9	8	1	4	6	7	3
1	3	7	2	5	6	4	9	8
7	2	6	9	4	8	5	3	1
5	8	1	3	2	7	9	6	4
4	9	3	1	6	5	2	8	7
3	4	5	6	8	2	7	1	9
6	7	8	5	9	1	3	4	2
9	1	2	4	7	3	8	5	6

86

5	6	8	9	4	3	1	7	2
1	3	7	2	6	8	5	4	9
2	9	4	1	7	5	3	8	6
7	4	5	3	2	9	6	1	8
9	8	1	7	5	6	4	2	3
6	2	3	8	1	4	9	5	7
4	7	2	6	9	1	8	3	5
8	5	9	4	3	7	2	6	1
3	1	6	5	8	2	7	9	4

87

7	4	5	2	3	8	1	9	6
1	9	6	7	4	5	3	8	2
2	3	8	1	6	9	4	5	7
8	2	9	6	5	4	7	1	3
6	7	3	8	2	1	5	4	9
5	1	4	9	7	3	6	2	8
9	6	7	5	1	2	8	3	4
4	8	1	3	9	6	2	7	5
3	5	2	4	8	7	9	6	1

88

7	5	1	6	2	9	4	3	8
3	2	4	1	5	8	9	6	7
8	9	6	4	7	3	5	1	2
4	3	8	2	9	1	7	5	6
1	7	9	5	3	6	8	2	4
2	6	5	8	4	7	1	9	3
6	8	2	9	1	4	3	7	5
5	1	3	7	8	2	6	4	9
9	4	7	3	6	5	2	8	1

89

1	6	8	2	9	5	7	4	3
3	4	2	7	6	8	5	9	1
7	9	5	3	4	1	6	8	2
5	2	3	9	1	4	8	6	7
6	8	4	5	2	7	3	1	9
9	7	1	8	3	6	4	2	5
8	5	6	1	7	9	2	3	4
4	3	9	6	5	2	1	7	8
2	1	7	4	8	3	9	5	6

90

4	5	8	7	3	6	1	2	9
3	7	1	8	9	2	4	5	6
6	9	2	5	1	4	8	3	7
5	1	3	4	8	9	6	7	2
7	8	9	2	6	5	3	4	1
2	4	6	3	7	1	5	9	8
1	2	4	9	5	8	7	6	3
8	3	5	6	2	7	9	1	4
9	6	7	1	4	3	2	8	5

91

5	1	7	6	8	4	3	9	2
8	6	3	2	9	1	4	7	5
2	4	9	7	3	5	1	8	6
7	2	5	1	4	9	6	3	8
1	3	4	8	5	6	7	2	9
6	9	8	3	7	2	5	1	4
3	7	2	5	6	8	9	4	1
4	5	1	9	2	7	8	6	3
9	8	6	4	1	3	2	5	7

92

5	9	6	3	4	1	2	7	8
3	8	2	7	9	6	5	4	1
4	7	1	8	5	2	6	9	3
2	3	8	5	6	9	7	1	4
1	4	5	2	7	8	3	6	9
7	6	9	1	3	4	8	2	5
8	1	7	4	2	3	9	5	6
6	5	3	9	1	7	4	8	2
9	2	4	6	8	5	1	3	7

93

6	5	7	4	8	2	1	3	9
3	1	9	6	5	7	8	4	2
8	2	4	3	1	9	6	5	7
5	9	1	8	2	6	4	7	3
4	8	6	7	9	3	2	1	5
7	3	2	5	4	1	9	6	8
1	4	8	9	7	5	3	2	6
2	7	3	1	6	8	5	9	4
9	6	5	2	3	4	7	8	1

94

9	6	1	5	4	3	8	2	7
7	2	4	6	9	8	1	3	5
5	3	8	7	1	2	4	6	9
1	5	6	9	3	7	2	8	4
2	8	9	4	6	5	3	7	1
4	7	3	8	2	1	5	9	6
3	9	2	1	5	6	7	4	8
8	4	5	3	7	9	6	1	2
6	1	7	2	8	4	9	5	3

95

5	7	1	2	9	8	6	3	4
2	3	6	1	5	4	9	7	8
4	8	9	6	7	3	1	2	5
9	2	7	3	6	5	4	8	1
1	4	5	9	8	7	2	6	3
3	6	8	4	1	2	7	5	9
8	5	4	7	2	1	3	9	6
7	9	3	5	4	6	8	1	2
6	1	2	8	3	9	5	4	7

96

8	3	2	7	6	9	5	4	1
1	5	6	4	3	8	7	2	9
7	9	4	5	2	1	3	6	8
4	8	1	2	9	3	6	5	7
6	7	5	8	1	4	2	9	3
3	2	9	6	7	5	1	8	4
5	4	7	3	8	2	9	1	6
2	1	3	9	4	6	8	7	5
9	6	8	1	5	7	4	3	2

97

2	7	6	5	9	3	1	8	4
5	9	4	1	6	8	7	3	2
8	1	3	4	2	7	9	6	5
6	5	9	3	1	4	2	7	8
7	2	1	6	8	5	4	9	3
4	3	8	9	7	2	5	1	6
1	4	2	7	3	6	8	5	9
3	8	7	2	5	9	6	4	1
9	6	5	8	4	1	3	2	7

98

5	2	7	6	4	3	1	8	9
9	8	4	1	5	7	3	2	6
6	1	3	2	9	8	7	4	5
8	3	5	4	6	9	2	7	1
1	7	6	3	2	5	8	9	4
2	4	9	7	8	1	5	6	3
3	6	2	8	1	4	9	5	7
7	5	8	9	3	6	4	1	2
4	9	1	5	7	2	6	3	8

99

7	9	8	4	3	6	5	1	2
1	2	5	7	8	9	6	3	4
6	3	4	1	2	5	7	8	9
5	1	7	9	6	3	4	2	8
3	4	2	5	7	8	1	9	6
9	8	6	2	1	4	3	5	7
2	6	1	3	9	7	8	4	5
4	7	9	8	5	1	2	6	3
8	5	3	6	4	2	9	7	1

100

6	4	1	5	9	8	3	2	7
9	8	7	2	1	3	5	4	6
2	3	5	6	4	7	1	9	8
4	5	6	8	3	9	7	1	2
7	2	9	1	5	6	4	8	3
3	1	8	7	2	4	9	6	5
8	9	4	3	6	5	2	7	1
5	7	2	4	8	1	6	3	9
1	6	3	9	7	2	8	5	4

101

9	1	7	8	2	6	5	3	4
3	5	8	9	7	4	6	2	1
6	2	4	1	3	5	8	7	9
5	7	6	2	8	1	4	9	3
1	9	3	6	4	7	2	8	5
8	4	2	3	5	9	1	6	7
7	8	5	4	9	2	3	1	6
4	3	1	7	6	8	9	5	2
2	6	9	5	1	3	7	4	8

102

7	3	9	2	8	5	1	4	6
8	6	1	7	9	4	2	5	3
2	4	5	6	1	3	9	8	7
9	2	4	5	6	7	3	1	8
3	8	6	1	4	9	7	2	5
1	5	7	3	2	8	6	9	4
6	7	8	9	5	2	4	3	1
5	1	2	4	3	6	8	7	9
4	9	3	8	7	1	5	6	2

103

8	7	5	6	1	2	4	9	3
3	4	1	8	9	5	2	6	7
2	6	9	3	7	4	1	8	5
4	5	6	9	2	7	8	3	1
1	3	7	4	5	8	9	2	6
9	2	8	1	3	6	7	5	4
7	9	4	2	6	3	5	1	8
5	1	3	7	8	9	6	4	2
6	8	2	5	4	1	3	7	9

104

3	4	9	8	2	1	6	7	5
8	5	7	3	4	6	2	1	9
6	2	1	9	5	7	8	3	4
9	7	2	6	3	4	5	8	1
1	6	3	2	8	5	9	4	7
4	8	5	1	7	9	3	2	6
2	9	6	7	1	3	4	5	8
7	3	4	5	9	8	1	6	2
5	1	8	4	6	2	7	9	3

105

4	6	9	1	7	5	3	2	8
7	3	8	2	6	4	1	9	5
5	1	2	3	8	9	6	4	7
1	9	7	8	5	3	4	6	2
2	4	3	6	9	7	5	8	1
8	5	6	4	2	1	7	3	9
9	2	1	5	4	6	8	7	3
3	8	4	7	1	2	9	5	6
6	7	5	9	3	8	2	1	4

106

3	1	4	2	5	8	9	6	7
9	5	6	4	7	3	1	8	2
2	8	7	1	9	6	5	4	3
8	4	2	5	1	9	7	3	6
6	9	5	7	3	2	4	1	8
7	3	1	8	6	4	2	5	9
1	6	8	9	4	7	3	2	5
5	7	3	6	2	1	8	9	4
4	2	9	3	8	5	6	7	1

107

5	8	6	2	1	7	3	9	4
2	9	4	8	3	5	7	6	1
7	1	3	9	6	4	2	5	8
1	2	7	5	8	3	6	4	9
4	6	9	7	2	1	8	3	5
3	5	8	4	9	6	1	7	2
9	4	1	3	7	2	5	8	6
6	3	5	1	4	8	9	2	7
8	7	2	6	5	9	4	1	3

108

7	8	4	5	6	2	3	1	9
3	2	9	4	8	1	6	5	7
5	6	1	3	7	9	4	2	8
1	3	6	9	2	7	8	4	5
9	5	8	1	4	6	2	7	3
2	4	7	8	5	3	9	6	1
8	1	2	7	3	4	5	9	6
6	7	5	2	9	8	1	3	4
4	9	3	6	1	5	7	8	2

109

9	7	5	6	4	3	2	8	1
8	3	1	9	2	7	5	4	6
2	6	4	5	8	1	7	9	3
4	5	9	8	6	2	3	1	7
1	2	7	3	9	4	8	6	5
6	8	3	1	7	5	4	2	9
3	1	6	4	5	8	9	7	2
7	9	8	2	3	6	1	5	4
5	4	2	7	1	9	6	3	8

110

2	7	8	3	9	1	4	5	6
9	4	6	2	5	8	3	7	1
1	5	3	7	6	4	8	2	9
6	1	2	8	7	3	9	4	5
7	8	9	5	4	6	1	3	2
5	3	4	1	2	9	6	8	7
4	2	1	9	8	5	7	6	3
3	6	7	4	1	2	5	9	8
8	9	5	6	3	7	2	1	4

111

9	1	7	6	5	4	8	3	2
5	8	2	3	7	9	6	1	4
4	6	3	8	2	1	9	7	5
2	3	5	1	8	6	4	9	7
7	9	8	4	3	2	1	5	6
1	4	6	7	9	5	2	8	3
6	5	4	9	1	7	3	2	8
8	2	1	5	6	3	7	4	9
3	7	9	2	4	8	5	6	1

112

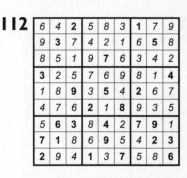

6	4	2	5	8	3	1	7	9
9	3	7	4	2	1	6	5	8
8	5	1	9	7	6	3	4	2
3	2	5	7	6	9	8	1	4
1	8	9	3	5	4	2	6	7
4	7	6	2	1	8	9	3	5
5	6	3	8	4	2	7	9	1
7	1	8	6	9	5	4	2	3
2	9	4	1	3	7	5	8	6

113

3	1	5	4	9	8	6	2	7
9	7	6	2	5	1	8	4	3
2	8	4	7	6	3	9	5	1
6	5	2	8	3	7	1	9	4
8	9	3	1	4	5	7	6	2
7	4	1	9	2	6	5	3	8
1	2	9	5	8	4	3	7	6
4	6	8	3	7	9	2	1	5
5	3	7	6	1	2	4	8	9

114

4	9	2	7	8	1	6	3	5
1	3	6	9	4	5	2	7	8
7	5	8	6	2	3	1	9	4
5	6	3	2	1	7	8	4	9
2	4	7	8	9	6	5	1	3
8	1	9	5	3	4	7	6	2
3	2	4	1	7	8	9	5	6
9	7	5	4	6	2	3	8	1
6	8	1	3	5	9	4	2	7

115

1	7	9	8	4	5	3	2	6
3	2	8	6	1	9	4	7	5
4	6	5	7	2	3	8	1	9
7	9	1	2	3	6	5	8	4
6	5	2	4	8	1	9	3	7
8	4	3	9	5	7	2	6	1
2	8	7	5	6	4	1	9	3
5	3	6	1	9	2	7	4	8
9	1	4	3	7	8	6	5	2

116

7	6	8	9	3	2	1	4	5
9	5	2	8	1	4	6	7	3
1	4	3	7	5	6	2	8	9
5	8	1	3	2	7	4	9	6
6	7	9	5	4	8	3	1	2
3	2	4	6	9	1	7	5	8
2	9	5	4	7	3	8	6	1
8	1	7	2	6	9	5	3	4
4	3	6	1	8	5	9	2	7

117

8	6	7	2	1	4	9	5	3
3	1	4	9	5	7	8	2	6
9	5	2	6	3	8	7	4	1
2	3	9	7	8	5	1	6	4
1	4	6	3	9	2	5	7	8
7	8	5	4	6	1	3	9	2
4	7	3	8	2	9	6	1	5
5	9	8	1	4	6	2	3	7
6	2	1	5	7	3	4	8	9

118

3	6	7	9	8	1	5	2	4
2	8	4	5	6	7	9	3	1
5	9	1	4	2	3	7	6	8
6	3	9	7	4	5	8	1	2
1	4	8	6	9	2	3	5	7
7	5	2	1	3	8	4	9	6
8	1	6	3	5	4	2	7	9
4	7	5	2	1	9	6	8	3
9	2	3	8	7	6	1	4	5

119

9	4	5	3	8	1	6	7	2
8	2	7	4	6	9	3	5	1
3	1	6	7	2	5	4	8	9
2	6	4	9	1	7	8	3	5
5	3	1	8	4	6	2	9	7
7	8	9	5	3	2	1	4	6
6	5	8	2	9	4	7	1	3
1	9	3	6	7	8	5	2	4
4	7	2	1	5	3	9	6	8

120

1	9	3	8	2	5	7	6	4
7	4	5	1	6	3	9	2	8
8	2	6	9	4	7	3	5	1
3	7	2	4	1	8	6	9	5
5	6	1	7	9	2	4	8	3
9	8	4	5	3	6	1	7	2
4	5	8	3	7	9	2	1	6
6	3	7	2	8	1	5	4	9
2	1	9	6	5	4	8	3	7

121

4	2	7	3	8	5	9	1	6
5	1	9	4	2	6	7	3	8
8	3	6	7	9	1	4	2	5
6	7	3	5	1	9	8	4	2
2	9	8	6	4	7	1	5	3
1	5	4	2	3	8	6	9	7
9	8	5	1	6	2	3	7	4
3	6	2	9	7	4	5	8	1
7	4	1	8	5	3	2	6	9

122

1	5	9	7	6	2	4	3	8
6	4	3	5	9	8	7	2	1
7	2	8	3	1	4	9	6	5
4	6	7	2	5	3	1	8	9
9	3	1	8	7	6	5	4	2
2	8	5	9	4	1	3	7	6
3	7	2	1	8	9	6	5	4
5	1	6	4	2	7	8	9	3
8	9	4	6	3	5	2	1	7

123

9	6	1	4	7	3	2	8	5
4	2	7	5	9	8	3	1	6
3	8	5	2	6	1	4	7	9
8	1	4	9	2	7	6	5	3
2	7	6	3	1	5	9	4	8
5	9	3	6	8	4	7	2	1
6	3	8	1	4	2	5	9	7
7	5	2	8	3	9	1	6	4
1	4	9	7	5	6	8	3	2

124

2	9	4	5	7	6	3	1	8
8	7	6	1	4	3	5	9	2
5	3	1	8	9	2	6	4	7
3	4	7	2	6	9	1	8	5
1	5	9	4	8	7	2	3	6
6	2	8	3	5	1	9	7	4
7	8	3	9	2	5	4	6	1
4	1	5	6	3	8	7	2	9
9	6	2	7	1	4	8	5	3

125

1	2	4	6	5	7	3	9	8
7	5	9	3	8	4	2	1	6
6	3	8	2	9	1	7	4	5
8	1	7	5	3	2	9	6	4
9	4	2	8	7	6	5	3	1
3	6	5	4	1	9	8	2	7
4	8	6	9	2	5	1	7	3
5	9	1	7	4	3	6	8	2
2	7	3	1	6	8	4	5	9

126

7	1	9	6	2	3	8	4	5
8	2	6	4	9	5	1	3	7
5	3	4	1	8	7	6	9	2
3	4	1	7	6	9	5	2	8
2	6	7	5	4	8	3	1	9
9	8	5	3	1	2	4	7	6
4	5	3	2	7	6	9	8	1
6	9	2	8	3	1	7	5	4
1	7	8	9	5	4	2	6	3

127

8	5	6	2	1	4	7	3	9
9	2	3	8	7	5	1	6	4
4	7	1	6	9	3	5	8	2
5	9	7	4	8	6	3	2	1
2	3	4	1	5	7	6	9	8
6	1	8	3	2	9	4	5	7
7	8	2	5	3	1	9	4	6
1	6	5	9	4	2	8	7	3
3	4	9	7	6	8	2	1	5

128

8	1	7	9	4	2	5	6	3
5	3	4	1	7	6	8	2	9
2	9	6	3	5	8	7	1	4
9	2	1	6	8	3	4	7	5
7	8	3	4	1	5	2	9	6
4	6	5	2	9	7	1	3	8
3	4	2	8	6	1	9	5	7
1	5	8	7	3	9	6	4	2
6	7	9	5	2	4	3	8	1

129

4	3	6	2	8	7	9	5	1
8	5	9	3	6	1	2	4	7
1	7	2	5	4	9	3	6	8
6	9	3	1	2	4	8	7	5
2	4	8	7	3	5	1	9	6
5	1	7	8	9	6	4	2	3
3	2	4	6	7	8	5	1	9
9	6	5	4	1	3	7	8	2
7	8	1	9	5	2	6	3	4

130

1	5	3	4	8	7	6	9	2
9	6	7	2	3	5	4	8	1
4	2	8	1	6	9	7	5	3
5	3	1	7	9	8	2	6	4
7	9	6	3	2	4	5	1	8
8	4	2	5	1	6	9	3	7
3	1	5	6	4	2	8	7	9
2	7	9	8	5	1	3	4	6
6	8	4	9	7	3	1	2	5

131

3	1	5	6	2	9	8	4	7
2	9	7	8	5	4	1	3	6
8	6	4	3	1	7	2	5	9
9	3	6	1	7	2	5	8	4
1	4	2	5	8	6	7	9	3
7	5	8	9	4	3	6	2	1
5	8	3	7	9	1	4	6	2
4	7	9	2	6	8	3	1	5
6	2	1	4	3	5	9	7	8

132

9	3	5	4	8	2	7	1	6
6	1	2	9	7	5	8	3	4
8	4	7	1	6	3	2	9	5
3	7	8	6	5	4	9	2	1
1	5	9	7	2	8	6	4	3
2	6	4	3	1	9	5	7	8
5	8	1	2	3	7	4	6	9
7	9	3	5	4	6	1	8	2
4	2	6	8	9	1	3	5	7

133

8	3	5	9	6	4	2	1	7
1	2	7	5	8	3	9	6	4
9	6	4	1	7	2	8	5	3
2	7	9	3	4	6	1	8	5
5	4	8	2	1	9	7	3	6
3	1	6	8	5	7	4	9	2
4	5	3	7	9	1	6	2	8
6	8	1	4	2	5	3	7	9
7	9	2	6	3	8	5	4	1

134

4	1	8	3	5	7	9	6	2
2	7	9	6	8	1	3	4	5
6	3	5	2	4	9	7	1	8
5	2	4	1	9	8	6	7	3
3	6	7	5	2	4	1	8	9
8	9	1	7	6	3	2	5	4
9	5	6	4	7	2	8	3	1
7	8	3	9	1	5	4	2	6
1	4	2	8	3	6	5	9	7

135

8	5	1	2	4	3	7	6	9
7	3	6	5	9	8	1	4	2
9	2	4	6	1	7	5	8	3
1	8	9	7	3	4	2	5	6
6	7	3	8	2	5	9	1	4
5	4	2	1	6	9	8	3	7
4	9	5	3	8	2	6	7	1
3	1	8	9	7	6	4	2	5
2	6	7	4	5	1	3	9	8

136

3	5	6	7	9	8	4	2	1
2	4	7	3	1	5	9	8	6
8	9	1	2	6	4	5	7	3
1	6	4	5	3	2	8	9	7
7	8	5	9	4	6	1	3	2
9	2	3	8	7	1	6	5	4
4	3	9	1	8	7	2	6	5
5	1	8	6	2	3	7	4	9
6	7	2	4	5	9	3	1	8

137

7	5	6	4	1	9	3	8	2
8	2	3	5	6	7	1	4	9
1	4	9	3	8	2	5	7	6
2	3	4	6	7	8	9	5	1
9	1	5	2	4	3	7	6	8
6	7	8	9	5	1	2	3	4
3	6	2	7	9	4	8	1	5
5	8	7	1	2	6	4	9	3
4	9	1	8	3	5	6	2	7

138

5	3	8	6	4	9	1	2	7
4	2	1	3	7	8	9	6	5
7	9	6	5	2	1	3	4	8
3	7	9	2	8	6	4	5	1
6	8	5	7	1	4	2	3	9
2	1	4	9	5	3	8	7	6
1	5	3	4	9	7	6	8	2
8	4	2	1	6	5	7	9	3
9	6	7	8	3	2	5	1	4

139

7	1	2	8	5	3	4	6	9
8	9	6	4	2	7	5	3	1
4	3	5	6	9	1	7	8	2
5	8	3	9	4	2	1	7	6
2	7	4	1	6	8	9	5	3
1	6	9	7	3	5	2	4	8
3	4	1	5	8	9	6	2	7
6	2	7	3	1	4	8	9	5
9	5	8	2	7	6	3	1	4

140

4	1	7	8	3	6	2	5	9
3	9	5	4	2	7	8	1	6
8	6	2	5	1	9	4	7	3
5	3	6	2	8	1	9	4	7
1	7	9	6	5	4	3	2	8
2	8	4	7	9	3	5	6	1
9	2	3	1	6	5	7	8	4
6	4	8	3	7	2	1	9	5
7	5	1	9	4	8	6	3	2

141

6	7	8	1	9	4	3	5	2
3	9	1	2	5	6	8	7	4
2	5	4	7	8	3	1	9	6
4	1	3	6	7	5	9	2	8
9	2	7	3	1	8	4	6	5
5	8	6	4	2	9	7	3	1
7	6	2	8	3	1	5	4	9
1	4	5	9	6	7	2	8	3
8	3	9	5	4	2	6	1	7

142

4	1	8	9	3	5	7	2	6
9	2	5	6	1	7	8	4	3
6	7	3	2	8	4	5	9	1
3	6	7	8	4	2	9	1	5
5	9	4	1	6	3	2	7	8
2	8	1	5	7	9	6	3	4
1	4	6	7	9	8	3	5	2
8	5	9	3	2	1	4	6	7
7	3	2	4	5	6	1	8	9

143

7	8	3	1	5	6	4	2	9
2	9	6	8	3	4	5	7	1
4	5	1	7	9	2	3	6	8
1	3	7	9	6	5	8	4	2
6	2	5	3	4	8	1	9	7
8	4	9	2	7	1	6	3	5
3	1	2	4	8	7	9	5	6
9	6	8	5	2	3	7	1	4
5	7	4	6	1	9	2	8	3

144

3	4	9	8	2	1	6	7	5
8	5	7	3	4	6	2	1	9
6	2	1	9	5	7	8	3	4
9	7	2	6	3	4	5	8	1
1	6	3	2	8	5	9	4	7
4	8	5	1	7	9	3	2	6
2	9	6	7	1	3	4	5	8
7	3	4	5	9	8	1	6	2
5	1	8	4	6	2	7	9	3

145

3	9	1	6	7	8	2	4	5
6	5	8	1	4	2	9	7	3
7	4	2	9	3	5	1	8	6
5	1	9	4	8	7	3	6	2
8	6	3	5	2	9	7	1	4
2	7	4	3	6	1	5	9	8
4	3	7	2	9	6	8	5	1
1	8	6	7	5	3	4	2	9
9	2	5	8	1	4	6	3	7

146

7	8	6	5	4	9	1	3	2
1	4	2	3	6	7	8	9	5
3	5	9	1	8	2	4	6	7
8	7	5	4	1	3	6	2	9
6	3	1	2	9	5	7	4	8
9	2	4	8	7	6	5	1	3
2	9	8	6	5	1	3	7	4
4	1	3	7	2	8	9	5	6
5	6	7	9	3	4	2	8	1

147

7	4	5	6	8	2	9	1	3
1	3	8	4	7	9	6	2	5
6	9	2	1	5	3	8	4	7
2	7	4	3	1	8	5	6	9
9	6	1	7	2	5	3	8	4
8	5	3	9	6	4	1	7	2
3	1	7	2	9	6	4	5	8
4	8	6	5	3	7	2	9	1
5	2	9	8	4	1	7	3	6

148

3	5	4	8	1	7	9	6	2
1	8	6	2	3	9	5	7	4
7	2	9	4	5	6	8	3	1
6	9	1	7	4	5	2	8	3
8	4	2	3	9	1	7	5	6
5	3	7	6	2	8	1	4	9
4	1	5	9	8	3	6	2	7
2	6	8	1	7	4	3	9	5
9	7	3	5	6	2	4	1	8

149

5	7	2	1	6	9	8	4	3
8	6	4	7	5	3	1	9	2
9	3	1	2	8	4	6	7	5
6	8	9	4	2	7	5	3	1
7	1	5	8	3	6	9	2	4
2	4	3	5	9	1	7	6	8
3	9	8	6	4	5	2	1	7
4	2	7	9	1	8	3	5	6
1	5	6	3	7	2	4	8	9

150

2	3	8	9	4	6	5	1	7
7	4	6	5	1	3	8	2	9
1	9	5	8	7	2	4	6	3
9	7	3	6	8	1	2	5	4
6	2	4	3	9	5	1	7	8
5	8	1	4	2	7	3	9	6
8	6	9	1	5	4	7	3	2
4	5	2	7	3	9	6	8	1
3	1	7	2	6	8	9	4	5

151

8	6	9	1	7	3	4	5	2
4	2	7	6	5	9	3	8	1
1	5	3	4	2	8	7	6	9
6	8	2	7	4	5	1	9	3
3	1	4	9	8	2	5	7	6
7	9	5	3	6	1	2	4	8
2	4	8	5	1	6	9	3	7
5	3	1	8	9	7	6	2	4
9	7	6	2	3	4	8	1	5

152

7	6	9	4	1	3	5	2	8
8	1	3	6	2	5	4	7	9
4	5	2	9	7	8	6	1	3
9	7	6	2	4	1	3	8	5
2	4	5	8	3	7	9	6	1
1	3	8	5	9	6	2	4	7
3	2	7	1	5	4	8	9	6
5	8	4	7	6	9	1	3	2
6	9	1	3	8	2	7	5	4

153

2	1	9	8	3	5	6	7	4
3	4	6	2	1	7	8	5	9
7	8	5	9	6	4	3	1	2
6	9	4	7	2	3	1	8	5
1	5	7	6	4	8	2	9	3
8	2	3	5	9	1	4	6	7
4	7	2	1	8	9	5	3	6
5	3	8	4	7	6	9	2	1
9	6	1	3	5	2	7	4	8

154

7	8	3	5	1	9	4	2	6
6	2	4	3	7	8	9	1	5
5	9	1	4	6	2	7	8	3
4	6	7	1	9	3	2	5	8
2	1	5	7	8	4	6	3	9
8	3	9	2	5	6	1	4	7
3	4	8	9	2	7	5	6	1
9	5	6	8	4	1	3	7	2
1	7	2	6	3	5	8	9	4

155

7	3	2	6	5	4	9	1	8
1	4	9	2	3	8	7	5	6
5	6	8	9	7	1	2	3	4
4	2	5	3	9	7	8	6	1
6	1	7	5	8	2	3	4	9
9	8	3	1	4	6	5	2	7
8	7	1	4	2	3	6	9	5
2	5	6	8	1	9	4	7	3
3	9	4	7	6	5	1	8	2

156

1	5	7	4	3	6	9	8	2
8	2	6	9	1	7	4	3	5
4	9	3	5	2	8	6	7	1
2	3	8	7	9	4	1	5	6
7	1	4	6	5	3	2	9	8
9	6	5	1	8	2	3	4	7
3	8	9	2	6	5	7	1	4
6	4	1	8	7	9	5	2	3
5	7	2	3	4	1	8	6	9

157

1	7	2	9	3	8	6	5	4
4	8	5	6	1	7	2	3	9
6	9	3	5	4	2	8	7	1
2	3	8	1	6	9	7	4	5
9	4	1	7	8	5	3	2	6
5	6	7	4	2	3	1	9	8
7	2	4	8	5	6	9	1	3
8	1	9	3	7	4	5	6	2
3	5	6	2	9	1	4	8	7

158

1	7	8	6	9	5	3	2	4
3	5	2	1	4	7	6	8	9
9	4	6	8	3	2	5	1	7
5	1	9	4	2	3	7	6	8
2	6	3	9	7	8	4	5	1
7	8	4	5	1	6	9	3	2
6	2	1	7	5	4	8	9	3
8	9	7	3	6	1	2	4	5
4	3	5	2	8	9	1	7	6

159

4	9	5	6	2	8	3	1	7
8	1	2	3	7	9	4	5	6
3	7	6	1	4	5	8	2	9
6	3	1	5	9	4	2	7	8
2	8	4	7	6	3	1	9	5
9	5	7	8	1	2	6	4	3
7	2	8	4	5	6	9	3	1
5	4	3	9	8	1	7	6	2
1	6	9	2	3	7	5	8	4

160

7	6	9	3	1	5	8	4	2
8	4	2	9	6	7	5	3	1
3	1	5	2	4	8	9	7	6
9	2	4	8	3	1	6	5	7
5	8	7	4	9	6	1	2	3
1	3	6	5	7	2	4	8	9
2	9	3	6	5	4	7	1	8
4	7	8	1	2	9	3	6	5
6	5	1	7	8	3	2	9	4

161

6	5	4	1	9	2	7	3	8
9	7	8	6	5	3	1	4	2
1	2	3	7	8	4	5	6	9
8	9	7	5	4	6	2	1	3
3	1	5	8	2	9	6	7	4
4	6	2	3	1	7	8	9	5
2	3	1	4	7	8	9	5	6
5	4	9	2	6	1	3	8	7
7	8	6	9	3	5	4	2	1

162

6	5	9	7	4	8	3	2	1
2	8	3	9	6	1	5	4	7
1	4	7	5	3	2	6	8	9
9	1	6	3	7	4	2	5	8
8	7	5	2	1	6	4	9	3
3	2	4	8	5	9	7	1	6
7	3	8	4	9	5	1	6	2
4	6	2	1	8	3	9	7	5
5	9	1	6	2	7	8	3	4

163

7	8	6	9	2	5	1	3	4
3	1	4	6	8	7	2	9	5
9	2	5	4	3	1	7	6	8
1	5	9	7	4	8	6	2	3
6	3	8	1	5	2	9	4	7
4	7	2	3	9	6	5	8	1
2	4	3	5	1	9	8	7	6
8	6	1	2	7	4	3	5	9
5	9	7	8	6	3	4	1	2

164

8	4	1	9	3	6	2	5	7
6	7	2	8	5	4	9	3	1
9	3	5	7	2	1	8	6	4
1	2	3	6	4	9	5	7	8
5	8	4	1	7	3	6	9	2
7	9	6	5	8	2	4	1	3
3	1	9	2	6	8	7	4	5
4	5	8	3	9	7	1	2	6
2	6	7	4	1	5	3	8	9

165

6	2	3	8	1	5	7	4	9
9	5	7	2	6	4	3	8	1
1	8	4	7	3	9	6	5	2
4	9	6	1	8	7	5	2	3
8	3	1	9	5	2	4	6	7
2	7	5	6	4	3	1	9	8
5	4	2	3	7	8	9	1	6
3	1	9	5	2	6	8	7	4
7	6	8	4	9	1	2	3	5

166

3	6	4	5	8	7	1	9	2
9	1	8	6	3	2	7	5	4
2	5	7	4	9	1	3	6	8
6	3	1	9	7	8	2	4	5
5	8	9	2	4	3	6	7	1
7	4	2	1	5	6	8	3	9
1	2	5	7	6	4	9	8	3
4	7	3	8	2	9	5	1	6
8	9	6	3	1	5	4	2	7

167

8	6	1	4	5	2	7	3	9
7	2	5	9	3	1	6	8	4
4	9	3	6	7	8	5	2	1
9	3	6	1	2	5	4	7	8
2	5	8	7	4	9	1	6	3
1	4	7	8	6	3	9	5	2
3	1	9	5	8	7	2	4	6
6	7	2	3	1	4	8	9	5
5	8	4	2	9	6	3	1	7

168

1	5	9	7	8	3	4	2	6
2	7	6	5	4	1	9	8	3
4	3	8	6	2	9	5	1	7
5	2	4	9	6	8	3	7	1
8	6	7	3	1	4	2	5	9
9	1	3	2	5	7	8	6	4
6	4	2	1	9	5	7	3	8
3	9	5	8	7	6	1	4	2
7	8	1	4	3	2	6	9	5

169

4	1	5	6	8	3	9	2	7
9	8	7	5	2	1	4	6	3
6	3	2	4	9	7	8	1	5
1	7	8	3	6	9	2	5	4
2	4	3	7	1	5	6	9	8
5	6	9	2	4	8	3	7	1
7	9	4	8	5	6	1	3	2
3	2	6	1	7	4	5	8	9
8	5	1	9	3	2	7	4	6

170

4	9	8	5	1	7	3	6	2
6	3	2	8	4	9	1	7	5
1	7	5	6	3	2	4	9	8
7	4	9	3	2	5	8	1	6
3	8	1	7	6	4	5	2	9
2	5	6	1	9	8	7	4	3
5	2	3	4	7	6	9	8	1
9	1	7	2	8	3	6	5	4
8	6	4	9	5	1	2	3	7

171

3	9	2	5	6	7	1	8	4
6	4	5	2	8	1	7	3	9
8	1	7	3	4	9	6	2	5
1	7	9	8	2	4	3	5	6
4	5	3	9	7	6	8	1	2
2	6	8	1	3	5	9	4	7
5	3	6	4	9	8	2	7	1
7	2	1	6	5	3	4	9	8
9	8	4	7	1	2	5	6	3

172

2	8	9	7	1	6	4	5	3
7	3	1	5	8	4	6	9	2
4	6	5	2	9	3	8	1	7
8	5	4	6	3	1	2	7	9
6	9	2	4	5	7	1	3	8
1	7	3	8	2	9	5	4	6
3	1	6	9	4	2	7	8	5
5	4	7	3	6	8	9	2	1
9	2	8	1	7	5	3	6	4

173

1	9	3	7	6	8	4	5	2
8	5	2	3	4	1	9	6	7
7	4	6	2	5	9	8	3	1
4	2	9	8	3	7	6	1	5
3	6	1	4	2	5	7	9	8
5	8	7	1	9	6	3	2	4
9	1	4	6	8	2	5	7	3
2	3	5	9	7	4	1	8	6
6	7	8	5	1	3	2	4	9

174

4	3	1	7	9	5	6	2	8
9	2	7	8	4	6	5	3	1
8	5	6	3	1	2	4	7	9
7	4	2	5	6	9	8	1	3
6	1	8	2	3	4	9	5	7
5	9	3	1	7	8	2	4	6
2	7	5	6	8	3	1	9	4
1	6	4	9	2	7	3	8	5
3	8	9	4	5	1	7	6	2

175

2	1	7	3	8	5	9	6	4
4	6	3	9	7	1	2	5	8
9	5	8	4	2	6	7	3	1
1	4	5	2	6	3	8	9	7
3	7	9	1	4	8	5	2	6
6	8	2	5	9	7	4	1	3
7	9	4	6	1	2	3	8	5
5	2	6	8	3	4	1	7	9
8	3	1	7	5	9	6	4	2

176

4	2	1	7	6	3	8	9	5
8	6	9	5	1	4	3	2	7
5	3	7	9	8	2	6	4	1
3	7	2	6	5	8	9	1	4
6	1	8	4	9	7	5	3	2
9	5	4	3	2	1	7	8	6
2	4	3	8	7	5	1	6	9
1	9	5	2	3	6	4	7	8
7	8	6	1	4	9	2	5	3

177

7	9	5	2	1	3	8	6	4
6	8	1	4	9	5	7	3	2
4	2	3	8	6	7	5	1	9
9	4	7	6	8	1	2	5	3
1	3	8	5	2	9	4	7	6
5	6	2	3	7	4	1	9	8
2	5	4	1	3	6	9	8	7
8	7	6	9	5	2	3	4	1
3	1	9	7	4	8	6	2	5

178

5	2	9	4	8	3	7	6	1
7	1	3	6	9	5	2	8	4
6	4	8	1	2	7	9	5	3
4	7	1	5	3	9	8	2	6
2	3	6	8	7	4	5	1	9
8	9	5	2	6	1	4	3	7
9	8	7	3	1	2	6	4	5
1	6	4	9	5	8	3	7	2
3	5	2	7	4	6	1	9	8

179

8	4	1	2	6	3	5	7	9
5	7	3	9	4	8	1	2	6
6	2	9	1	7	5	8	3	4
2	5	8	7	3	9	4	6	1
4	1	7	5	2	6	9	8	3
9	3	6	8	1	4	2	5	7
3	9	4	6	5	2	7	1	8
7	6	5	4	8	1	3	9	2
1	8	2	3	9	7	6	4	5

180

2	7	8	9	3	4	5	1	6
3	6	1	5	2	7	8	9	4
9	5	4	8	1	6	7	2	3
1	2	3	4	9	8	6	7	5
7	9	5	1	6	3	4	8	2
4	8	6	2	7	5	9	3	1
5	3	2	7	4	9	1	6	8
8	1	7	6	5	2	3	4	9
6	4	9	3	8	1	2	5	7

181

4	3	8	7	2	9	5	1	6
5	7	9	6	3	1	2	4	8
2	1	6	5	8	4	9	7	3
3	5	2	4	7	6	8	9	1
1	6	4	9	5	8	7	3	2
9	8	7	3	1	2	6	5	4
7	2	5	1	6	3	4	8	9
6	9	1	8	4	7	3	2	5
8	4	3	2	9	5	1	6	7

182

9	6	2	7	3	5	1	8	4
5	3	4	8	1	9	2	7	6
8	1	7	6	2	4	5	9	3
6	8	9	5	7	1	4	3	2
2	7	3	4	8	6	9	5	1
1	4	5	2	9	3	7	6	8
4	2	6	9	5	8	3	1	7
7	5	1	3	6	2	8	4	9
3	9	8	1	4	7	6	2	5

183

2	7	6	4	5	9	3	1	8
9	1	4	7	3	8	5	6	2
3	5	8	1	2	6	7	9	4
6	8	5	9	4	2	1	3	7
4	3	9	5	1	7	8	2	6
1	2	7	8	6	3	4	5	9
5	6	1	2	7	4	9	8	3
8	4	3	6	9	1	2	7	5
7	9	2	3	8	5	6	4	1

184

1	2	4	8	5	7	9	3	6
6	5	3	4	1	9	7	2	8
9	8	7	6	2	3	1	5	4
2	6	5	3	7	4	8	1	9
4	1	9	2	8	6	3	7	5
7	3	8	5	9	1	4	6	2
8	4	2	1	3	5	6	9	7
3	9	6	7	4	2	5	8	1
5	7	1	9	6	8	2	4	3

185

5	8	4	7	6	9	3	1	2
2	9	1	5	8	3	7	6	4
3	7	6	4	1	2	8	5	9
7	6	9	2	5	8	1	4	3
4	1	5	9	3	6	2	8	7
8	3	2	1	7	4	6	9	5
9	4	7	6	2	1	5	3	8
6	5	8	3	4	7	9	2	1
1	2	3	8	9	5	4	7	6

186

1	7	2	3	5	9	4	8	6
5	6	9	4	7	8	2	1	3
3	8	4	6	2	1	9	5	7
2	9	3	1	4	6	5	7	8
4	5	8	9	3	7	1	6	2
7	1	6	2	8	5	3	9	4
9	3	7	8	1	4	6	2	5
6	2	5	7	9	3	8	4	1
8	4	1	5	6	2	7	3	9

187

7	1	3	8	9	5	2	4	6
9	6	8	1	2	4	5	7	3
4	2	5	3	6	7	9	1	8
3	7	6	4	5	2	8	9	1
1	8	9	6	7	3	4	5	2
5	4	2	9	8	1	3	6	7
6	5	7	2	4	8	1	3	9
2	3	4	7	1	9	6	8	5
8	9	1	5	3	6	7	2	4

188

3	9	1	7	6	5	8	2	4
2	7	4	9	8	3	6	5	1
6	8	5	1	2	4	9	7	3
4	6	7	8	3	1	2	9	5
9	2	3	5	4	7	1	8	6
5	1	8	2	9	6	4	3	7
8	4	6	3	5	9	7	1	2
1	3	2	6	7	8	5	4	9
7	5	9	4	1	2	3	6	8

189

7	2	5	8	3	4	9	6	1
9	3	8	1	6	2	5	7	4
4	6	1	7	9	5	3	8	2
8	4	3	9	1	6	2	5	7
5	1	7	4	2	3	6	9	8
2	9	6	5	8	7	1	4	3
3	8	2	6	7	9	4	1	5
1	5	9	3	4	8	7	2	6
6	7	4	2	5	1	8	3	9

190

7	6	3	8	4	9	5	2	1
8	9	5	3	1	2	4	6	7
2	4	1	6	5	7	9	8	3
5	1	9	4	8	3	6	7	2
6	8	7	5	2	1	3	9	4
4	3	2	7	9	6	1	5	8
3	5	6	2	7	4	8	1	9
1	2	4	9	6	8	7	3	5
9	7	8	1	3	5	2	4	6

191

1	3	7	9	6	2	8	4	5
5	8	4	3	1	7	6	2	9
9	6	2	8	5	4	1	7	3
7	2	1	6	3	8	5	9	4
3	4	8	5	7	9	2	6	1
6	5	9	2	4	1	3	8	7
8	7	5	4	2	3	9	1	6
2	1	6	7	9	5	4	3	8
4	9	3	1	8	6	7	5	2

192

3	1	9	6	4	5	2	7	8
6	7	8	3	9	2	1	5	4
2	4	5	7	8	1	3	9	6
5	6	7	8	3	4	9	2	1
8	3	2	5	1	9	6	4	7
4	9	1	2	6	7	8	3	5
1	2	3	4	7	8	5	6	9
9	5	4	1	2	6	7	8	3
7	8	6	9	5	3	4	1	2

193

8	2	3	6	7	4	1	9	5
9	7	5	8	1	3	6	2	4
1	4	6	9	5	2	3	8	7
7	5	4	2	3	9	8	1	6
3	8	2	1	6	5	7	4	9
6	9	1	4	8	7	2	5	3
5	3	8	7	9	1	4	6	2
4	6	7	5	2	8	9	3	1
2	1	9	3	4	6	5	7	8

194

7	3	8	5	6	2	9	1	4
5	4	1	9	7	3	2	6	8
6	2	9	1	8	4	5	7	3
1	8	2	3	4	9	7	5	6
4	6	3	7	1	5	8	9	2
9	5	7	8	2	6	4	3	1
8	9	6	2	3	7	1	4	5
3	1	5	4	9	8	6	2	7
2	7	4	6	5	1	3	8	9

195

8	3	1	6	5	2	9	7	4
7	9	2	1	8	4	3	5	6
5	6	4	9	3	7	2	1	8
1	7	6	2	4	9	5	8	3
2	5	3	8	7	6	4	9	1
4	8	9	5	1	3	6	2	7
6	1	5	4	9	8	7	3	2
9	2	7	3	6	1	8	4	5
3	4	8	7	2	5	1	6	9

196

6	4	1	9	8	2	5	3	7
9	7	3	4	1	5	6	2	8
8	2	5	7	6	3	1	9	4
2	6	9	1	7	8	4	5	3
3	1	4	2	5	9	7	8	6
5	8	7	3	4	6	9	1	2
4	5	2	6	3	1	8	7	9
7	9	8	5	2	4	3	6	1
1	3	6	8	9	7	2	4	5

197

5	9	7	8	1	6	2	3	4
1	6	3	7	4	2	5	9	8
4	8	2	5	9	3	6	7	1
9	4	8	2	5	7	3	1	6
7	1	6	3	8	9	4	5	2
3	2	5	4	6	1	9	8	7
2	5	1	9	7	4	8	6	3
8	7	4	6	3	5	1	2	9
6	3	9	1	2	8	7	4	5

198

4	6	1	7	8	3	2	5	9
2	9	8	6	5	4	3	1	7
7	3	5	9	2	1	6	8	4
8	4	2	5	1	7	9	3	6
6	5	3	2	9	8	7	4	1
9	1	7	3	4	6	8	2	5
1	7	4	8	3	9	5	6	2
5	8	9	1	6	2	4	7	3
3	2	6	4	7	5	1	9	8

199

3	6	4	7	5	9	8	2	1
2	7	1	8	6	4	3	9	5
5	9	8	3	2	1	6	7	4
1	8	6	9	3	7	5	4	2
7	2	5	4	1	6	9	3	8
9	4	3	2	8	5	1	6	7
6	5	2	1	4	3	7	8	9
8	1	9	6	7	2	4	5	3
4	3	7	5	9	8	2	1	6

200

9	6	1	3	4	5	2	7	8
2	3	7	6	8	1	9	4	5
4	5	8	9	7	2	6	3	1
5	9	3	1	6	8	4	2	7
8	1	4	2	3	7	5	9	6
6	7	2	4	5	9	1	8	3
3	2	9	8	1	6	7	5	4
1	8	5	7	9	4	3	6	2
7	4	6	5	2	3	8	1	9

201

4	2	3	6	1	5	7	8	9
7	9	1	4	3	8	2	5	6
5	6	8	9	7	2	3	1	4
1	5	4	8	2	6	9	7	3
3	7	9	1	5	4	6	2	8
6	8	2	7	9	3	1	4	5
2	4	7	5	6	9	8	3	1
8	3	6	2	4	1	5	9	7
9	1	5	3	8	7	4	6	2

202

9	4	6	8	1	2	5	7	3
2	5	1	7	3	6	8	9	4
8	7	3	9	5	4	2	1	6
1	6	5	2	7	9	3	4	8
7	3	8	6	4	5	1	2	9
4	9	2	1	8	3	6	5	7
3	8	9	4	2	1	7	6	5
6	2	7	5	9	8	4	3	1
5	1	4	3	6	7	9	8	2

203

2	4	8	9	1	6	3	7	5
3	5	7	2	8	4	6	1	9
6	1	9	5	7	3	2	4	8
9	8	6	1	5	7	4	2	3
1	7	4	3	2	8	9	5	6
5	2	3	6	4	9	7	8	1
8	6	5	7	9	2	1	3	4
7	9	1	4	3	5	8	6	2
4	3	2	8	6	1	5	9	7

204

1	5	4	6	9	3	8	2	7
7	6	9	1	2	8	5	4	3
8	2	3	5	4	7	6	1	9
3	4	2	8	6	5	7	9	1
6	9	7	3	1	2	4	5	8
5	1	8	9	7	4	3	6	2
2	3	6	4	8	9	1	7	5
4	7	5	2	3	1	9	8	6
9	8	1	7	5	6	2	3	4

205

3	1	6	5	2	8	7	9	4
7	9	4	6	3	1	8	5	2
5	8	2	7	9	4	6	1	3
1	4	7	2	8	6	9	3	5
2	6	5	9	4	3	1	8	7
9	3	8	1	5	7	4	2	6
8	2	3	4	6	9	5	7	1
4	7	9	3	1	5	2	6	8
6	5	1	8	7	2	3	4	9

206

7	9	5	1	2	3	8	6	4
8	3	1	4	6	9	2	5	7
2	6	4	7	8	5	9	3	1
6	7	8	9	4	1	5	2	3
4	5	2	8	3	6	1	7	9
9	1	3	2	5	7	4	8	6
5	4	7	6	1	8	3	9	2
3	2	9	5	7	4	6	1	8
1	8	6	3	9	2	7	4	5

207

4	1	3	2	5	6	8	7	9
6	7	8	9	1	4	5	2	3
5	9	2	8	3	7	6	4	1
7	5	1	6	9	8	4	3	2
8	4	6	3	2	1	9	5	7
3	2	9	7	4	5	1	8	6
1	8	7	4	6	3	2	9	5
2	3	5	1	8	9	7	6	4
9	6	4	5	7	2	3	1	8

208

8	6	9	4	5	2	3	7	1
7	5	1	6	8	3	9	2	4
2	3	4	9	7	1	5	8	6
5	1	3	8	2	4	7	6	9
9	2	6	5	3	7	4	1	8
4	7	8	1	6	9	2	5	3
3	8	5	7	4	6	1	9	2
6	9	2	3	1	5	8	4	7
1	4	7	2	9	8	6	3	5

209

2	6	7	4	8	5	9	1	3
1	3	5	9	2	7	6	4	8
4	9	8	1	3	6	2	5	7
8	7	1	2	6	4	3	9	5
5	4	3	7	9	8	1	2	6
6	2	9	5	1	3	7	8	4
7	1	4	3	5	2	8	6	9
9	5	6	8	7	1	4	3	2
3	8	2	6	4	9	5	7	1

210

9	3	1	5	8	6	4	2	7
2	7	4	1	3	9	5	8	6
6	5	8	2	4	7	1	9	3
1	9	3	4	2	5	6	7	8
4	8	5	7	6	3	9	1	2
7	2	6	9	1	8	3	5	4
8	1	2	3	5	4	7	6	9
3	6	7	8	9	1	2	4	5
5	4	9	6	7	2	8	3	1

211

2	1	7	9	6	3	8	5	4
8	5	9	1	2	4	6	3	7
6	4	3	8	7	5	9	2	1
3	6	1	2	8	9	4	7	5
5	2	4	7	3	6	1	8	9
7	9	8	4	5	1	2	6	3
1	7	2	3	9	8	5	4	6
9	3	6	5	4	2	7	1	8
4	8	5	6	1	7	3	9	2

212

7	8	4	2	5	1	9	6	3
1	9	3	7	8	6	2	5	4
2	5	6	3	9	4	1	7	8
6	7	5	4	1	8	3	2	9
4	3	1	6	2	9	7	8	5
8	2	9	5	7	3	4	1	6
5	6	2	9	3	7	8	4	1
3	4	8	1	6	2	5	9	7
9	1	7	8	4	5	6	3	2

213

6	1	3	8	2	5	7	9	4
4	7	2	9	6	1	8	5	3
9	8	5	7	4	3	2	1	6
3	2	7	5	1	4	9	6	8
5	6	9	3	8	2	4	7	1
1	4	8	6	9	7	3	2	5
2	5	6	4	7	8	1	3	9
8	3	1	2	5	9	6	4	7
7	9	4	1	3	6	5	8	2

214

3	8	7	9	2	6	5	4	1
5	2	4	7	3	1	6	8	9
6	1	9	8	5	4	7	2	3
4	3	6	1	8	7	9	5	2
1	7	2	5	4	9	8	3	6
9	5	8	3	6	2	1	7	4
2	9	1	4	7	8	3	6	5
7	6	3	2	9	5	4	1	8
8	4	5	6	1	3	2	9	7

215

7	2	5	8	3	4	9	6	1
9	3	8	1	6	2	5	7	4
4	6	1	7	9	5	3	8	2
8	4	3	9	1	6	2	5	7
5	1	7	4	2	3	6	9	8
2	9	6	5	8	7	1	4	3
3	8	2	6	7	9	4	1	5
1	5	9	3	4	8	7	2	6
6	7	4	2	5	1	8	3	9

216

5	1	4	3	8	7	6	2	9
9	2	8	4	5	6	3	1	7
3	7	6	2	1	9	5	4	8
1	6	7	5	2	8	4	9	3
2	3	9	6	7	4	8	5	1
4	8	5	1	9	3	2	7	6
6	4	2	9	3	1	7	8	5
8	5	1	7	6	2	9	3	4
7	9	3	8	4	5	1	6	2

217

4	7	1	8	6	3	2	9	5
3	2	9	4	7	5	6	1	8
6	5	8	2	1	9	3	4	7
5	9	7	1	8	6	4	3	2
2	3	4	5	9	7	8	6	1
1	8	6	3	4	2	5	7	9
8	4	5	7	3	1	9	2	6
9	1	3	6	2	8	7	5	4
7	6	2	9	5	4	1	8	3

218

1	8	2	6	4	3	5	9	7
5	9	6	2	7	8	4	3	1
7	4	3	9	5	1	6	8	2
4	1	7	3	2	6	9	5	8
9	6	5	1	8	7	2	4	3
2	3	8	5	9	4	1	7	6
6	7	1	4	3	5	8	2	9
8	5	9	7	6	2	3	1	4
3	2	4	8	1	9	7	6	5

219

4	9	1	8	2	3	7	6	5
7	5	8	6	1	9	2	4	3
2	6	3	7	5	4	9	1	8
9	4	7	5	3	1	6	8	2
6	3	2	9	7	8	4	5	1
1	8	5	4	6	2	3	7	9
5	2	4	3	8	7	1	9	6
8	1	9	2	4	6	5	3	7
3	7	6	1	9	5	8	2	4

220

1	8	9	7	2	4	3	5	6
7	3	6	1	5	8	9	2	4
2	4	5	9	6	3	8	7	1
5	9	8	3	4	2	1	6	7
6	1	2	5	7	9	4	3	8
4	7	3	6	8	1	5	9	2
8	5	1	2	9	6	7	4	3
3	6	7	4	1	5	2	8	9
9	2	4	8	3	7	6	1	5

221

3	7	5	1	6	9	8	4	2
8	2	9	3	4	7	6	1	5
6	1	4	5	8	2	7	9	3
1	9	3	8	7	6	2	5	4
5	8	2	4	1	3	9	7	6
4	6	7	9	2	5	3	8	1
7	4	1	2	3	8	5	6	9
9	3	6	7	5	4	1	2	8
2	5	8	6	9	1	4	3	7

222

9	4	3	1	8	5	7	6	2
7	2	6	9	3	4	1	5	8
1	5	8	2	7	6	4	9	3
2	6	7	4	5	3	9	8	1
5	1	9	8	2	7	6	3	4
8	3	4	6	1	9	2	7	5
4	7	2	3	9	8	5	1	6
3	9	1	5	6	2	8	4	7
6	8	5	7	4	1	3	2	9

223

6	4	8	5	3	1	7	9	2
7	5	2	4	9	6	1	3	8
3	9	1	2	7	8	4	6	5
4	8	3	6	1	7	5	2	9
1	2	6	8	5	9	3	7	4
9	7	5	3	2	4	8	1	6
8	6	9	1	4	3	2	5	7
5	1	7	9	8	2	6	4	3
2	3	4	7	6	5	9	8	1

224

6	2	9	3	8	1	5	7	4
5	8	3	7	6	4	1	2	9
7	1	4	2	5	9	3	8	6
3	7	5	8	2	6	9	4	1
2	4	1	9	7	3	6	5	8
8	9	6	4	1	5	2	3	7
1	6	7	5	3	8	4	9	2
9	3	2	1	4	7	8	6	5
4	5	8	6	9	2	7	1	3

225

1	9	3	2	7	4	8	6	5
8	7	4	6	1	5	9	3	2
6	2	5	3	9	8	1	7	4
4	5	8	7	6	3	2	1	9
7	3	2	1	8	9	4	5	6
9	1	6	4	5	2	7	8	3
2	4	7	8	3	6	5	9	1
3	8	9	5	4	1	6	2	7
5	6	1	9	2	7	3	4	8

226

8	3	5	4	6	1	9	2	7
9	7	1	5	3	2	6	4	8
4	6	2	9	7	8	3	5	1
6	1	8	2	4	7	5	9	3
7	2	9	8	5	3	4	1	6
5	4	3	6	1	9	7	8	2
3	9	7	1	8	4	2	6	5
1	5	4	3	2	6	8	7	9
2	8	6	7	9	5	1	3	4

227

1	5	4	3	8	2	6	7	9
8	6	7	1	5	9	4	3	2
9	2	3	4	7	6	5	8	1
4	1	6	8	2	5	7	9	3
2	3	9	6	4	7	8	1	5
7	8	5	9	3	1	2	6	4
3	7	1	2	6	4	9	5	8
6	9	2	5	1	8	3	4	7
5	4	8	7	9	3	1	2	6

228

9	7	5	3	2	1	4	8	6
4	1	6	5	8	9	7	2	3
8	3	2	6	4	7	9	5	1
3	4	7	9	5	6	2	1	8
5	9	8	7	1	2	3	6	4
2	6	1	8	3	4	5	9	7
6	8	3	2	7	5	1	4	9
7	2	4	1	9	8	6	3	5
1	5	9	4	6	3	8	7	2

229

5	3	7	9	4	1	8	6	2
8	6	4	7	3	2	1	5	9
2	9	1	6	8	5	3	4	7
1	7	6	2	5	3	9	8	4
4	2	9	1	6	8	7	3	5
3	8	5	4	7	9	2	1	6
6	4	2	8	1	7	5	9	3
9	1	3	5	2	6	4	7	8
7	5	8	3	9	4	6	2	1

230

9	1	4	8	6	3	5	7	2
5	6	7	1	4	2	8	3	9
8	2	3	7	9	5	1	4	6
4	5	8	6	3	9	2	1	7
1	7	2	5	8	4	9	6	3
6	3	9	2	1	7	4	8	5
7	9	1	4	2	6	3	5	8
2	8	6	3	5	1	7	9	4
3	4	5	9	7	8	6	2	1

231

7	2	1	6	3	4	9	8	5
8	6	5	9	1	7	3	4	2
4	9	3	5	8	2	1	6	7
1	5	2	7	6	3	8	9	4
9	3	4	2	5	8	7	1	6
6	8	7	4	9	1	5	2	3
5	7	6	8	4	9	2	3	1
2	1	8	3	7	6	4	5	9
3	4	9	1	2	5	6	7	8

232

6	7	4	3	5	9	2	1	8
1	5	9	7	2	8	4	6	3
2	3	8	4	1	6	5	7	9
9	1	7	6	8	5	3	2	4
8	2	3	9	4	1	7	5	6
4	6	5	2	3	7	9	8	1
7	9	2	8	6	4	1	3	5
5	4	6	1	7	3	8	9	2
3	8	1	5	9	2	6	4	7

233

7	9	6	1	3	8	2	5	4
4	1	2	9	5	6	7	3	8
5	3	8	2	7	4	1	9	6
9	2	4	3	1	5	8	6	7
8	5	7	4	6	9	3	1	2
3	6	1	8	2	7	9	4	5
2	8	5	6	9	1	4	7	3
1	7	3	5	4	2	6	8	9
6	4	9	7	8	3	5	2	1

234

6	4	2	5	8	1	7	9	3
5	7	9	4	2	3	6	1	8
1	8	3	6	9	7	2	4	5
7	5	4	1	6	9	3	8	2
2	3	1	8	5	4	9	6	7
9	6	8	7	3	2	4	5	1
8	9	7	2	1	6	5	3	4
3	2	5	9	4	8	1	7	6
4	1	6	3	7	5	8	2	9

235

4	2	7	5	6	1	9	8	3
8	9	3	2	4	7	1	6	5
1	6	5	3	8	9	7	4	2
6	4	1	7	2	5	3	9	8
3	8	2	9	1	6	5	7	4
7	5	9	4	3	8	6	2	1
2	7	8	1	9	3	4	5	6
5	3	6	8	7	4	2	1	9
9	1	4	6	5	2	8	3	7

236

7	4	5	2	3	8	1	9	6
1	9	6	7	4	5	3	8	2
2	3	8	1	6	9	4	5	7
8	2	9	6	5	4	7	1	3
6	7	3	8	2	1	5	4	9
5	1	4	9	7	3	6	2	8
9	6	7	5	1	2	8	3	4
4	8	1	3	9	6	2	7	5
3	5	2	4	8	7	9	6	1

237

8	1	4	5	9	7	3	2	6
6	9	2	3	4	8	5	7	1
7	3	5	1	6	2	9	8	4
5	6	3	2	8	9	4	1	7
9	8	7	4	5	1	6	3	2
4	2	1	6	7	3	8	5	9
2	5	9	8	1	4	7	6	3
1	7	6	9	3	5	2	4	8
3	4	8	7	2	6	1	9	5

238

8	5	7	6	4	1	3	9	2
4	2	1	9	7	3	8	5	6
9	3	6	2	5	8	1	7	4
5	4	9	8	6	7	2	1	3
2	1	8	5	3	9	4	6	7
6	7	3	1	2	4	9	8	5
7	9	2	4	1	6	5	3	8
3	8	5	7	9	2	6	4	1
1	6	4	3	8	5	7	2	9

239

7	6	4	3	1	2	8	9	5
5	9	1	4	7	8	6	2	3
2	3	8	5	9	6	4	7	1
1	7	3	2	6	4	5	8	9
9	5	6	8	3	7	1	4	2
8	4	2	9	5	1	7	3	6
6	2	7	1	8	9	3	5	4
3	8	9	6	4	5	2	1	7
4	1	5	7	2	3	9	6	8

240

7	4	9	5	1	6	8	2	3
8	2	1	3	4	7	5	9	6
5	3	6	8	2	9	4	7	1
1	6	3	4	7	8	2	5	9
4	7	5	6	9	2	3	1	8
9	8	2	1	5	3	6	4	7
2	9	8	7	6	4	1	3	5
6	5	7	2	3	1	9	8	4
3	1	4	9	8	5	7	6	2

241

9	8	6	7	1	5	3	4	2
2	5	3	8	6	4	1	9	7
4	1	7	2	3	9	5	8	6
3	2	5	9	4	7	8	6	1
8	6	1	5	2	3	4	7	9
7	9	4	1	8	6	2	5	3
6	3	2	4	9	8	7	1	5
1	7	8	6	5	2	9	3	4
5	4	9	3	7	1	6	2	8

242

7	1	9	2	6	4	3	5	8
6	8	5	3	7	9	4	1	2
2	3	4	5	8	1	6	7	9
5	7	1	4	9	8	2	6	3
3	6	8	1	5	2	7	9	4
4	9	2	6	3	7	1	8	5
9	5	3	7	2	6	8	4	1
1	2	7	8	4	5	9	3	6
8	4	6	9	1	3	5	2	7

243

9	2	5	7	3	8	6	1	4
6	3	1	4	2	9	5	7	8
7	4	8	6	5	1	3	2	9
3	6	9	8	7	2	1	4	5
1	8	2	9	4	5	7	6	3
5	7	4	1	6	3	8	9	2
2	1	3	5	9	6	4	8	7
8	5	7	2	1	4	9	3	6
4	9	6	3	8	7	2	5	1

244

4	2	6	7	5	9	1	8	3
5	3	1	8	6	2	4	7	9
7	9	8	3	4	1	2	5	6
1	8	9	4	3	7	6	2	5
2	5	4	9	1	6	8	3	7
6	7	3	5	2	8	9	4	1
3	6	5	1	8	4	7	9	2
9	4	2	6	7	5	3	1	8
8	1	7	2	9	3	5	6	4

245

2	7	3	1	5	6	9	8	4
6	8	9	2	7	4	5	3	1
5	4	1	3	8	9	6	2	7
4	9	2	6	3	5	1	7	8
7	6	8	9	1	2	4	5	3
3	1	5	7	4	8	2	9	6
1	2	6	8	9	3	7	4	5
8	5	7	4	2	1	3	6	9
9	3	4	5	6	7	8	1	2

246

1	4	2	7	5	8	3	9	6
9	8	7	2	3	6	5	4	1
5	3	6	1	4	9	8	7	2
8	1	4	9	6	5	2	3	7
3	2	5	8	7	4	1	6	9
7	6	9	3	2	1	4	5	8
6	7	8	5	1	3	9	2	4
2	9	3	4	8	7	6	1	5
4	5	1	6	9	2	7	8	3

247

4	6	3	7	9	5	8	2	1
2	9	1	4	3	8	5	6	7
7	8	5	6	1	2	9	3	4
3	7	9	5	6	4	1	8	2
1	4	8	2	7	3	6	5	9
6	5	2	1	8	9	7	4	3
5	3	7	9	2	6	4	1	8
8	1	6	3	4	7	2	9	5
9	2	4	8	5	1	3	7	6

248

5	6	4	2	8	7	1	9	3
3	1	7	6	9	5	2	8	4
8	2	9	1	3	4	5	7	6
7	5	8	4	1	9	6	3	2
2	4	1	3	6	8	9	5	7
9	3	6	5	7	2	4	1	8
4	7	2	9	5	3	8	6	1
1	8	5	7	2	6	3	4	9
6	9	3	8	4	1	7	2	5

249

2	7	4	1	8	9	6	5	3
8	1	3	7	5	6	4	2	9
5	6	9	4	3	2	8	7	1
3	5	8	6	4	7	1	9	2
9	2	6	8	1	3	7	4	5
1	4	7	9	2	5	3	8	6
7	3	1	2	9	8	5	6	4
6	9	5	3	7	4	2	1	8
4	8	2	5	6	1	9	3	7

250

9	4	5	8	7	6	3	1	2
2	8	1	3	9	5	7	4	6
3	6	7	4	2	1	5	8	9
6	7	8	9	4	2	1	3	5
5	1	2	6	3	7	8	9	4
4	3	9	5	1	8	2	6	7
7	2	6	1	8	4	9	5	3
8	5	3	2	6	9	4	7	1
1	9	4	7	5	3	6	2	8

251

3	6	1	9	4	2	5	7	8
5	7	8	6	3	1	9	4	2
2	9	4	8	7	5	6	1	3
4	3	6	2	1	7	8	5	9
8	5	9	4	6	3	7	2	1
1	2	7	5	8	9	4	3	6
6	1	3	7	5	8	2	9	4
9	4	5	1	2	6	3	8	7
7	8	2	3	9	4	1	6	5

252

5	2	3	6	7	4	8	9	1
9	8	7	1	3	5	6	4	2
1	4	6	2	9	8	7	3	5
6	3	9	8	2	1	5	7	4
2	7	5	3	4	9	1	8	6
8	1	4	5	6	7	9	2	3
4	5	1	7	8	3	2	6	9
3	6	8	9	1	2	4	5	7
7	9	2	4	5	6	3	1	8

253

1	2	4	7	5	9	8	6	3
3	9	7	6	2	8	1	5	4
5	6	8	3	1	4	9	7	2
6	8	2	5	4	7	3	9	1
4	5	9	2	3	1	6	8	7
7	1	3	9	8	6	4	2	5
2	4	6	8	7	3	5	1	9
9	3	5	1	6	2	7	4	8
8	7	1	4	9	5	2	3	6

254

6	2	1	3	8	5	4	7	9
9	8	4	2	1	7	6	5	3
5	7	3	6	9	4	2	8	1
2	5	8	7	4	9	1	3	6
3	1	6	5	2	8	9	4	7
7	4	9	1	6	3	5	2	8
8	9	5	4	7	1	3	6	2
1	3	2	8	5	6	7	9	4
4	6	7	9	3	2	8	1	5

255

9	2	4	8	7	6	3	1	5
6	5	7	9	1	3	2	4	8
8	1	3	5	4	2	9	6	7
5	9	2	1	6	4	7	8	3
7	8	6	3	5	9	1	2	4
3	4	1	2	8	7	5	9	6
1	3	8	4	2	5	6	7	9
2	7	9	6	3	8	4	5	1
4	6	5	7	9	1	8	3	2

256

3	4	1	9	5	8	2	6	7
5	7	2	1	4	6	3	9	8
6	9	8	7	3	2	1	5	4
9	1	5	8	2	4	6	7	3
7	3	6	5	9	1	8	4	2
2	8	4	3	6	7	9	1	5
4	6	9	2	7	3	5	8	1
1	5	3	4	8	9	7	2	6
8	2	7	6	1	5	4	3	9

257

3	7	9	5	4	6	8	2	1
2	1	5	3	9	8	4	6	7
6	4	8	7	2	1	9	3	5
1	9	6	4	8	2	7	5	3
5	3	2	6	7	9	1	8	4
4	8	7	1	5	3	6	9	2
7	6	1	8	3	5	2	4	9
9	5	4	2	6	7	3	1	8
8	2	3	9	1	4	5	7	6

258

8	9	5	6	7	4	3	2	1
2	6	1	5	9	3	7	8	4
4	7	3	8	2	1	5	6	9
1	4	2	7	3	6	9	5	8
9	5	7	4	1	8	2	3	6
3	8	6	9	5	2	1	4	7
5	1	8	3	4	7	6	9	2
6	2	9	1	8	5	4	7	3
7	3	4	2	6	9	8	1	5

259

4	1	6	5	7	9	2	8	3
3	7	2	8	4	1	9	6	5
8	9	5	2	3	6	4	1	7
2	8	7	6	1	5	3	9	4
5	3	4	9	8	7	6	2	1
9	6	1	3	2	4	7	5	8
7	5	9	1	6	3	8	4	2
1	2	3	4	9	8	5	7	6
6	4	8	7	5	2	1	3	9

260

5	7	2	3	9	4	8	1	6
3	8	9	2	1	6	5	7	4
6	4	1	7	8	5	3	2	9
2	9	3	5	6	8	1	4	7
1	5	4	9	3	7	6	8	2
8	6	7	1	4	2	9	3	5
7	1	6	4	5	3	2	9	8
9	2	8	6	7	1	4	5	3
4	3	5	8	2	9	7	6	1

261

2	6	7	9	1	8	4	5	3
4	9	8	2	3	5	1	6	7
5	1	3	4	7	6	8	9	2
3	5	4	6	9	1	2	7	8
8	2	6	3	4	7	5	1	9
1	7	9	8	5	2	3	4	6
9	4	1	7	8	3	6	2	5
6	3	5	1	2	9	7	8	4
7	8	2	5	6	4	9	3	1

262

8	2	4	3	1	9	6	7	5
1	3	5	4	7	6	2	9	8
6	9	7	5	2	8	3	1	4
9	6	8	1	4	5	7	3	2
4	5	2	9	3	7	8	6	1
7	1	3	8	6	2	5	4	9
3	7	9	2	5	4	1	8	6
5	4	1	6	8	3	9	2	7
2	8	6	7	9	1	4	5	3

263

6	4	7	1	2	8	9	3	5
2	9	3	5	4	6	1	8	7
8	1	5	9	7	3	6	2	4
4	5	6	2	8	9	3	7	1
3	7	8	6	1	5	4	9	2
9	2	1	7	3	4	5	6	8
7	6	9	8	5	1	2	4	3
1	3	2	4	6	7	8	5	9
5	8	4	3	9	2	7	1	6

264

3	6	1	8	7	5	9	2	4
9	7	4	6	2	1	8	3	5
2	8	5	4	3	9	7	6	1
5	1	8	2	6	4	3	9	7
7	4	2	9	1	3	5	8	6
6	3	9	7	5	8	4	1	2
1	5	7	3	9	6	2	4	8
8	2	3	1	4	7	6	5	9
4	9	6	5	8	2	1	7	3

265

9	5	6	3	8	1	7	2	4
4	7	2	5	6	9	8	3	1
8	3	1	7	4	2	5	9	6
5	9	4	8	7	3	1	6	2
6	2	3	1	5	4	9	7	8
1	8	7	2	9	6	3	4	5
7	4	9	6	1	8	2	5	3
3	1	5	4	2	7	6	8	9
2	6	8	9	3	5	4	1	7

266

4	2	6	7	5	9	1	8	3
5	3	1	8	6	2	4	7	9
7	9	8	3	4	1	2	5	6
1	8	9	4	3	7	6	2	5
2	5	4	9	1	6	8	3	7
6	7	3	5	2	8	9	4	1
3	6	5	1	8	4	7	9	2
9	4	2	6	7	5	3	1	8
8	1	7	2	9	3	5	6	4

267

8	6	1	2	9	4	3	7	5
5	3	4	7	1	8	2	9	6
2	7	9	6	3	5	4	8	1
1	9	7	4	8	3	6	5	2
3	8	6	5	2	9	1	4	7
4	5	2	1	7	6	9	3	8
9	1	3	8	5	2	7	6	4
6	2	8	9	4	7	5	1	3
7	4	5	3	6	1	8	2	9

268

1	5	9	7	3	2	4	6	8
7	3	8	5	6	4	2	1	9
6	2	4	9	8	1	3	7	5
8	1	6	4	9	5	7	3	2
3	9	7	8	2	6	1	5	4
2	4	5	1	7	3	8	9	6
9	7	1	6	4	8	5	2	3
5	8	3	2	1	9	6	4	7
4	6	2	3	5	7	9	8	1

269

8	5	3	6	7	2	4	1	9
1	9	7	8	3	4	5	6	2
4	6	2	1	9	5	8	3	7
3	4	5	7	2	6	9	8	1
9	7	8	5	4	1	6	2	3
2	1	6	3	8	9	7	4	5
5	3	4	2	6	7	1	9	8
6	8	1	9	5	3	2	7	4
7	2	9	4	1	8	3	5	6

270

8	4	9	5	1	3	7	6	2
6	2	3	9	8	7	4	1	5
5	7	1	6	2	4	3	8	9
7	1	2	4	3	6	9	5	8
9	6	5	8	7	2	1	3	4
3	8	4	1	9	5	2	7	6
4	3	8	2	5	1	6	9	7
1	9	6	7	4	8	5	2	3
2	5	7	3	6	9	8	4	1

271

5	7	9	3	2	1	6	4	8
6	8	2	4	5	9	1	7	3
4	1	3	7	8	6	9	2	5
3	4	5	1	7	8	2	6	9
8	2	7	6	9	5	3	1	4
1	9	6	2	3	4	5	8	7
7	3	8	9	1	2	4	5	6
9	6	1	5	4	7	8	3	2
2	5	4	8	6	3	7	9	1

272

6	9	7	5	3	4	1	8	2
1	2	5	8	6	9	3	4	7
8	3	4	7	1	2	9	5	6
3	1	6	2	7	8	5	9	4
5	4	2	6	9	3	7	1	8
9	7	8	1	4	5	2	6	3
2	5	9	3	8	6	4	7	1
7	8	3	4	5	1	6	2	9
4	6	1	9	2	7	8	3	5

273

6	9	3	1	7	8	2	5	4
1	7	4	2	9	5	8	6	3
2	8	5	4	3	6	7	1	9
3	2	1	8	4	7	5	9	6
5	6	8	3	2	9	4	7	1
9	4	7	6	5	1	3	8	2
4	1	9	7	8	3	6	2	5
7	3	6	5	1	2	9	4	8
8	5	2	9	6	4	1	3	7

274

7	6	5	4	8	9	3	1	2
8	3	1	5	6	2	9	7	4
4	9	2	3	1	7	6	8	5
9	5	7	2	4	8	1	3	6
3	8	6	9	5	1	4	2	7
1	2	4	6	7	3	5	9	8
5	7	3	8	9	6	2	4	1
2	4	8	1	3	5	7	6	9
6	1	9	7	2	4	8	5	3

275

2	6	7	1	8	9	3	5	4
9	8	5	3	2	4	6	1	7
1	3	4	7	5	6	8	2	9
5	7	8	9	1	2	4	6	3
3	4	9	5	6	8	2	7	1
6	2	1	4	3	7	9	8	5
4	9	6	2	7	1	5	3	8
8	1	3	6	9	5	7	4	2
7	5	2	8	4	3	1	9	6

276

7	4	8	5	3	2	9	6	1
1	9	6	4	8	7	5	3	2
5	3	2	1	9	6	8	4	7
3	8	7	6	5	4	1	2	9
6	5	9	3	2	1	7	8	4
4	2	1	9	7	8	6	5	3
8	1	4	7	6	3	2	9	5
2	7	5	8	4	9	3	1	6
9	6	3	2	1	5	4	7	8

277

4	3	8	1	9	2	7	6	5
1	7	5	8	3	6	9	2	4
6	9	2	4	7	5	8	1	3
5	2	9	7	8	3	6	4	1
8	4	1	5	6	9	3	7	2
3	6	7	2	1	4	5	9	8
7	5	4	6	2	8	1	3	9
2	1	3	9	5	7	4	8	6
9	8	6	3	4	1	2	5	7

278

1	5	7	6	4	9	2	8	3
6	2	3	7	8	5	1	9	4
9	4	8	1	3	2	5	7	6
5	9	1	2	7	6	3	4	8
8	3	6	5	1	4	9	2	7
2	7	4	8	9	3	6	5	1
7	6	2	3	5	8	4	1	9
3	1	9	4	2	7	8	6	5
4	8	5	9	6	1	7	3	2

279

9	4	2	7	6	8	1	3	5
5	3	8	9	2	1	7	6	4
1	6	7	3	4	5	9	8	2
7	5	9	4	3	6	2	1	8
4	8	1	5	7	2	3	9	6
6	2	3	8	1	9	5	4	7
3	1	5	2	8	4	6	7	9
8	9	6	1	5	7	4	2	3
2	7	4	6	9	3	8	5	1

280

7	3	1	2	9	4	5	8	6
6	9	5	3	1	8	4	7	2
4	8	2	5	6	7	9	3	1
3	4	6	8	2	9	1	5	7
5	7	9	1	4	6	3	2	8
2	1	8	7	5	3	6	4	9
9	6	7	4	8	5	2	1	3
8	2	4	6	3	1	7	9	5
1	5	3	9	7	2	8	6	4

281

1	5	2	4	3	6	9	8	7
6	7	9	8	2	5	3	4	1
8	3	4	9	1	7	6	5	2
4	9	7	3	6	8	2	1	5
2	1	6	5	9	4	7	3	8
5	8	3	2	7	1	4	6	9
7	4	8	6	5	2	1	9	3
3	6	1	7	8	9	5	2	4
9	2	5	1	4	3	8	7	6

282

3	5	4	8	1	7	9	6	2
1	8	6	2	3	9	5	7	4
7	2	9	4	5	6	8	3	1
6	9	1	7	4	5	2	8	3
8	4	2	3	9	1	7	5	6
5	3	7	6	2	8	1	4	9
4	1	5	9	8	3	6	2	7
2	6	8	1	7	4	3	9	5
9	7	3	5	6	2	4	1	8

283

2	4	9	7	6	1	3	8	5
5	3	8	9	4	2	6	1	7
7	1	6	8	5	3	4	2	9
9	6	1	3	2	5	7	4	8
4	8	2	6	7	9	1	5	3
3	5	7	4	1	8	9	6	2
8	9	4	5	3	6	2	7	1
1	7	3	2	8	4	5	9	6
6	2	5	1	9	7	8	3	4

284

9	7	1	2	5	4	6	3	8
8	3	6	7	9	1	5	4	2
4	2	5	6	3	8	7	1	9
3	6	9	8	1	7	2	5	4
7	5	2	4	6	9	3	8	1
1	4	8	5	2	3	9	6	7
6	8	4	3	7	2	1	9	5
2	9	3	1	8	5	4	7	6
5	1	7	9	4	6	8	2	3

285

7	1	5	4	9	2	6	3	8
2	3	8	5	7	6	9	1	4
6	4	9	3	1	8	5	7	2
5	7	2	1	3	4	8	6	9
8	6	3	9	2	7	4	5	1
1	9	4	6	8	5	3	2	7
9	5	6	2	4	1	7	8	3
4	2	7	8	5	3	1	9	6
3	8	1	7	6	9	2	4	5

286

2	1	6	3	7	8	4	5	9
8	5	4	2	9	1	6	3	7
9	7	3	4	5	6	8	1	2
7	8	1	5	6	2	3	9	4
5	3	2	9	4	7	1	8	6
4	6	9	1	8	3	2	7	5
6	2	8	7	3	5	9	4	1
1	4	5	8	2	9	7	6	3
3	9	7	6	1	4	5	2	8

287

5	4	9	3	1	8	6	7	2
6	1	7	2	9	5	3	4	8
3	8	2	7	6	4	1	9	5
7	3	5	1	4	2	8	6	9
9	6	4	5	8	3	7	2	1
1	2	8	6	7	9	5	3	4
2	9	3	8	5	7	4	1	6
4	5	1	9	3	6	2	8	7
8	7	6	4	2	1	9	5	3

288

5	9	1	2	6	7	8	4	3
6	3	7	1	4	8	5	9	2
8	4	2	9	3	5	7	1	6
4	6	3	7	2	1	9	5	8
2	8	5	6	9	4	3	7	1
1	7	9	8	5	3	2	6	4
7	2	6	4	8	9	1	3	5
3	1	4	5	7	2	6	8	9
9	5	8	3	1	6	4	2	7

289

8	4	6	3	1	9	5	2	7
2	7	1	4	6	5	9	3	8
9	3	5	8	2	7	1	6	4
1	5	3	9	4	6	7	8	2
7	2	4	1	3	8	6	9	5
6	9	8	7	5	2	3	4	1
5	1	2	6	9	4	8	7	3
3	8	9	2	7	1	4	5	6
4	6	7	5	8	3	2	1	9

290

1	2	4	7	8	9	5	6	3
5	3	9	2	4	6	8	7	1
8	6	7	1	3	5	2	9	4
2	1	8	6	9	3	7	4	5
9	4	3	5	7	2	6	1	8
6	7	5	4	1	8	9	3	2
7	5	1	9	2	4	3	8	6
3	9	6	8	5	1	4	2	7
4	8	2	3	6	7	1	5	9

291

5	3	2	4	6	8	1	9	7
9	1	7	2	3	5	6	4	8
4	6	8	9	1	7	2	5	3
2	4	3	6	5	1	8	7	9
7	8	6	3	2	9	5	1	4
1	5	9	8	7	4	3	6	2
8	7	1	5	9	3	4	2	6
6	9	4	1	8	2	7	3	5
3	2	5	7	4	6	9	8	1

292

7	6	2	5	9	8	1	3	4
4	3	1	2	6	7	5	9	8
5	8	9	4	3	1	6	7	2
9	7	4	1	2	6	3	8	5
1	2	3	9	8	5	4	6	7
6	5	8	3	7	4	9	2	1
2	9	5	8	1	3	7	4	6
8	1	6	7	4	9	2	5	3
3	4	7	6	5	2	8	1	9

293

2	1	7	3	5	8	6	4	9
5	8	9	2	6	4	7	3	1
4	6	3	7	9	1	2	8	5
3	7	1	5	2	6	4	9	8
9	4	5	8	3	7	1	2	6
6	2	8	1	4	9	5	7	3
8	9	2	4	1	5	3	6	7
1	3	6	9	7	2	8	5	4
7	5	4	6	8	3	9	1	2

294

5	7	4	9	3	1	8	6	2
2	1	6	4	5	8	7	3	9
9	8	3	7	2	6	1	5	4
3	4	2	8	1	9	6	7	5
7	5	9	3	6	2	4	1	8
1	6	8	5	4	7	9	2	3
4	2	7	1	9	5	3	8	6
8	3	5	6	7	4	2	9	1
6	9	1	2	8	3	5	4	7

295

2	8	4	6	7	5	3	1	9
9	3	1	8	2	4	7	5	6
7	6	5	1	9	3	4	2	8
1	9	8	4	5	2	6	3	7
3	7	2	9	1	6	8	4	5
4	5	6	3	8	7	2	9	1
8	2	7	5	3	1	9	6	4
5	4	9	2	6	8	1	7	3
6	1	3	7	4	9	5	8	2

296

4	6	5	2	7	8	3	1	9
1	3	9	5	6	4	8	2	7
8	2	7	3	1	9	5	4	6
9	1	8	4	3	7	6	5	2
6	5	3	8	9	2	4	7	1
2	7	4	6	5	1	9	3	8
3	9	6	7	2	5	1	8	4
7	8	1	9	4	3	2	6	5
5	4	2	1	8	6	7	9	3

297

4	9	1	3	2	7	6	8	5
3	8	2	6	5	1	7	4	9
5	7	6	4	8	9	2	3	1
1	4	7	8	9	6	3	5	2
8	2	5	1	7	3	9	6	4
9	6	3	5	4	2	8	1	7
7	1	8	2	6	4	5	9	3
2	5	4	9	3	8	1	7	6
6	3	9	7	1	5	4	2	8

298

6	7	4	3	2	9	1	5	8
8	5	1	4	6	7	9	2	3
9	2	3	1	8	5	6	7	4
1	9	6	7	4	2	8	3	5
4	3	5	6	1	8	7	9	2
2	8	7	9	5	3	4	6	1
7	4	9	5	3	1	2	8	6
3	1	2	8	7	6	5	4	9
5	6	8	2	9	4	3	1	7

299

9	8	6	2	1	5	7	4	3
5	4	3	9	7	8	6	1	2
1	7	2	4	6	3	9	8	5
8	3	7	5	9	4	2	6	1
4	9	1	3	2	6	8	5	7
6	2	5	7	8	1	3	9	4
3	6	8	1	5	7	4	2	9
2	1	4	8	3	9	5	7	6
7	5	9	6	4	2	1	3	8

300

7	4	5	9	8	1	2	6	3
8	1	6	2	7	3	4	5	9
9	3	2	5	6	4	8	7	1
6	5	3	4	9	7	1	2	8
2	9	8	1	5	6	3	4	7
1	7	4	3	2	8	6	9	5
5	8	9	6	1	2	7	3	4
3	2	7	8	4	5	9	1	6
4	6	1	7	3	9	5	8	2